JN067419

ありのままの私が好き

誰がなんといっても自分を愛する方法、癒しのエッセイ

著: キム・ソンヒ

訳: 林 貞我 (ハヤシ デイカ)

なんだか自分以外のみんなが
ゆったりして、自由で幸せな
人生を生きているように見える

毎日苦しく耐えているあなたに韓国から届いたヒーリングエッセイ!

HAKUEISHA

この本は韓国語が原書ですが、日本の読者のために日本の状況に合わせて
ローカライジングした部分があります。したがって、本書に登場する
背景・人物・状況等は‘韓国（語・人）’ではなく日本（語・人）で表現されるなど、
原書内容と異なる場合があります。

幸せを
見つけ、気づき、描こう

激しい競争の中、
毎日を戦争のように生きている私たち。
急激に変わっていく世の中で私たちは一生懸命生きている。
しかし、本当にその分幸せなのだろうか。

私たちはみんな変わっていく。
しかし、自分の変化には気づけず
ただただ生きているのではないだろうか。
地球の向こう側には私たちより
もっと自由でゆったりと幸せに暮らす
人々がたくさんいる。

学生の時に海外で教わった人生の価値観と
帰国してから生活する上で身についた価値観は明らかに違った。
最初は混乱して、価値観同士がぶつかる度に
どちらを選ぶか、決めなければならなかった。
どれが正しく、どれが間違っているとは言えない。
確かに価値観によっては、私を幸せにすることもあれば
不幸にすることもあった。そして、その過程で
人生の幸せは自分で決めるのだと、気づいた。

まだはっきりとは言えないけれど、
衝突する価値観を立て直しながら
何のために生きるのが本当の幸せなのか
少しずつ明確になってきた。

私たちが幸せな人生を歩むためには
この時代が求めるものにただただ従うのではなく
先に自分自身について知らなければならない。
自分は誰で、何が好きか。
将来、何になりたいのか。この先、何を期待しているのか。
そして、今、自分はどのように変わっていっているのか。
どんな価値観で生きているのか・・・。
自分を知るためにはこうして自分を振り返ってみなければならない。

振り返ることによって
自分を見つけ、自分らしさに気づき
未来を描きながら、より好きになる。

その過程で見つけた傷を癒したり、時には褒めてあげよう。
新しく発見した過去と現在は
ありのままの私を抱きしめ、好きにならせてくれる。

そして、自分を愛する力は
自然と周囲の人をも顧みる力をつけてくれる。
私を覆っている文化を理解し、
私を作る全てを受け入れ、身に纏う。

この本を書きながら、私たちが持っている価値観を通して
人生の喜びや幸せとは何なのか、語りたかった。
幼い頃、全く異なる地球の向こう側の文化とこちら側の文化を
時折受け入れ、時折歯向かいながら
うんざりするほど付きまとってくる英語と共にした
ドラマチックな人生の話を通して。

このグローバル時代に、ぶつかり合う人生の価値観を比べながら
幸せな人生のために必要な価値観とは何なのか、

私たちが見失っているものはないか、一緒に考え、
今よりずっと幸せな人生にしようという気持ちで
この話を届ける。

過去の私を振り返り、
見失っていたものを見つけ、
そして再び描きながら
本当の幸せのために、今、決めてみよう。

目次 ─────────────────────────────────

──────── 過去の幸せを見つける

1幕1章

回想の喜び

誰にだって思い出はある。

途切れ途切れの思い出。

いつも鮮明な思い出。

力になる思い出。

その思い出をもう一度振り返り、

もう一度私を知っていく。

アイスが食べたい

親の都合で初めて海外に足を踏み入れた時、全てが不思議だった。
あまりにもショックで、今でもその日の空気や草の匂いを鮮明に覚え
ている。
その時、空気にも匂いがあるということを初めて知った。
道端にはハリネズミが走り回り、木々にはたくさんのケムシが這っていた。
ある日、そんなハリネズミを捕え、裏庭の倉庫で牛乳や餌を与えながら
飼ってみようと頑張ったけれど、結局、死なせてしまった。
辛い時、あの時の空気や草の匂いを思い出すと
慰めとなってつい口元がほころんでしまう。

海を渡り、異国の地に着いた次の日、私たち三人兄弟の目に
一番最初に入ってきたのはアイスの店だった。
チョコレート棒を刺し、色んなトッピングをのせるアイスを
早く味わってみたかった。

当時、小学生だった私たち三人兄弟は英語なんて一言も話せなかった。
だから父にアイスを注文するときに使う英語表現を学び、
アイスの店へ駆けつけた。
そして、勇気を振り絞って人生初めて英語でアイスを注文した。

兄が先に言った。
「バニラアイス一つとチョコレートアイス二つください
(One vanilla ice cream, two chocolate ice creams, please)」
今思うと、短い英語だったけれど
兄は初めて外国人と英語で話したことに感激していた。
注文をしてお金を払った。全てが順調のように見えた。

しかし、店員はお金を受け取り、領収証を渡しながら、
急に私たちに英語で話しかけてきた。
「コーン？それともカップ？ (Cone or cup?)」
慌てた兄は知っている英語一言を投げつけた。
「はい (Yes)」

すると、店員が再度聞いてきた。
「コーン？それともカップ？」
もう一度「はい」

店員の声が大きくなった。
「コーン？カップ？」
またしても、「はい」

あの時、兄が知っている単語は本当に「はい (Yes)」だけだった。
だとしても、もう少し集中していればカップぐらい分かったのではな
いだろうか。
しかし、慣れない環境と言語の前ですくんでしまって当然だ。
心理的理由で兄はあんなに簡単な単語すら聞き取れなかった。
兄の返事は段々小さくなった。

何度も同じ言葉を繰り返し、怒った店員は声をより大きくした。
「コーン？カップウウ？」
兄はやっと聞き取り、「あ、カップ！」と返事した。
店員はイラついた様子でアイスをカップに入れてくれた。
私はコーンがよかったんだけどな・・・。

私たち三人兄弟は恥ずかしくて何も言わないまま
帰り道にただただ静かにアイスを食べた。

こうして私と英語との同居が始まった。
そう。この出来事は、この先、私が向き合うことになる英語との
険しい道のりの予告編に過ぎなかったのだ。

下手な通訳がくれた喜び

私たち家族はイギリスから韓国へ
そして、父の最後の転勤先である香港に移住した。
私たちは夜遅く香港に着いた。
もうすぐ着陸するというアナウンスを聞いて
ワクワクしながらも恐る恐る香港を見下ろした。

空から見下ろした香港の夜景に言葉を失った。
たくさんの高層ビルの光と海が合わさり、絶景そのものだった。
どの国の上を飛んでみても
香港の空から見下ろした夜景より素敵なものはなかった。
あの時、私の心に映り込んだあの華やかな光は
落ち込んだとき、たまに寂しいとき、私の心を照らしてくれる。

香港に着いて一週間ぐらい過ぎただろうか。

父は朝早く仕事に出かけ、私たち兄弟はスクールバスに乗るために家を出た。

強風が吹き、雨はどしゃ降りで到底行けそうにないところに

兄は自分を信じろと言い、学校に必ず行くという覚悟で

姉と私を率いてマンションを出た。

その時、突然、警備の人が私たちに

広東語で話しかけてきたのだ。

「ニーハ @ ウチャ %$ イチャンチ %$ チトン $& タゾウ」

その状況が面白おかしくて、私は兄に聞いた。

「お兄ちゃん、何て言ってるの？」

兄は私に答えた。

「雨が強くて風が吹いているから、私たちの幸運を祈るとかだろう。

心配するな。俺を信じろ」

雨がとても強かったから

本当に警備の人がそう言ってるように思えた。

どうであれ、兄の勝手な解釈に、私たちは警備の人に

自信満々に「サンキュー (Thank you)」と言って、マンションから出た。

来るべきスクールバスがいくら待っても来ない。

道には木が倒れており、窓も割れていた。

本当にアリ一匹も見当たらなかった。
私たち兄弟は40分近くスクールバスを待ち
傘が折れ、雨をしのげなくなると、仕方なく家に戻り、
バスが来なかった理由を調べることにした。

マンションに入ると、警備の人が
再び広東語で話しかけてきた。
「マライ @% ヘチャイ $@ バス %@ アニ @& チョウ」
私は今回も兄に聞いた。
「今度は何て言ってるの？」
兄は豊かな想像力を発揮し、もう一度訳してくれた。
「よくぞ生きて帰ってきたな！って言ってるんだよ」

家に着くと、母が私たちを探しに行こうと、バタバタ支度をしていた。
激しい台風で香港全域、全ての学校が休校となったのだった。
母は遅れてニュースを聞き、知ったという。

あの警備の人が私たちに言ったのは実は
「台風11号が来てるから外に出てはいけない。危険だ。
スクールバスも来ないぞ。出るな」ということだったのだ。

私たちがマンションに帰ってきた時は
「ほらな。行くなって言ったろ？台風が来ててスクールバスも来ないって」と言ったのだ。

兄は学校に行かなくてもいいと聞き、はしゃいで部屋に入った。
「なんだ〜めちゃくちゃな通訳のせいで死ぬとこだったじゃん」
外国での生活がどれだけ厳しいかを予告する第二の予告編だったのだ。

そもそも無理だったんです！

父の仕事により学生時代を海外で過ごしている間、
私に迫りくる教育の問題は深刻なものだった。
海外に出ると自由になり、勉強から解放されるとよく言うが
一体、誰がそんなことを言ったのだろうか。
中学受験、高校受験、大学受験の時のストレスを
私は海外で小学生の時、すでに体験している。

英語で一言もしゃべられない状態で海外に出た時、
私に最高の名門私立学校に入学しろという任務が下された。
短期間で英語の実力を上げなければならないという負担が押し迫って
きたのだ。

みんなが本当に無知だったのだ。
英語がどれだけ難しい言語なのか、どれだけ長い時間を要するのか、

そして、どれだけ多くの本を読み、練習を重ねなければならないのか、
全く知らず
押し付ければできると思っていた。
もしかしたらこうした教育に対する無知が
現在の中高生たちをより苦しめているのかもしれない。
だから大学に入っても慣れず、自尊心が下がり
社会に出てもなお自尊心の回復に気を配る暇がないのではないか。
考えるべき問題である。

私は何の用意もせず入学志願書を出した。
幼かった私でも本能的に時間が必要だと
感づいていたけれど、周りの人たちは待ってはくれなかった。
結局、受験の日がやって来た。
問題を半分も解けず、
口頭インタビューも半分も答えられず、
無様に、とても悲惨に不合格の通知をもらった。

学校は丁寧にも不合格の理由について
「君はこれがダメで、あれがダメで・・・」と
詳細に書いて送ってくれた。この通知書をもらってどれだけ泣いたか。

子どもの私に不合格というのは耐えがたい傷だった。
無防備な状態で想像もしたことのない感情を体験したのだ。

その感情とは、「拒絶感」だった。
初めて感じた強い拒絶感はその後も大きなトラウマとなって残った。

幼い時に海外で経験した拒絶感に
どうしたらいいか分からず、頭痛が押し寄せてきた。
毎日、頭痛で苦しんでいたある日の朝、
起きてリビングに向かう途中、急に目の前が暗くなり、倒れた。
気が付くと倒れた時、敷居に頭を打ち、皮膚が裂けたせいで
床一面に血が広がっていた。

救急車を呼び、運ばれた病院でレントゲン写真を撮った後、
Ｙ字型に裂けた頭を16針縫った。
そして、目を覚ますと、私はまだ病院のベッドの上だった。
ひどい寒気と目まいを感じた。
泣いていた母と救急車に初めて乗ったとはしゃいでいた兄の姿を
一筋の光で確認し、私は再び気絶した。
目を覚ました時、ひどい目まいと吐き気で
お医者さんは私にもうしばらく入院していることを勧めた。

病院で過ごしながら色んなことを考えた。
退院したらきっと周りの人たちは二度と私に
英語でストレスを与えないだろうと期待しながら

頭が裂けてよかったのではないかとさえ思えた。
そして、嬉しい気持ちで退院したが・・・。

現実は変わらなかった。
退院後、頭の傷を見に家に来た
友だちが私を英雄扱いしてくれたけれど、それも数日だけだった。
私は再び死ぬほど英語を勉強し、入試の準備をしなければならなかった。

当時、イギリスの私立学校の入試では
読解と英文法、エッセイ、
最後に口頭面接が行われた。
英語の実力以外にも色んな部分を評価する試験だったため、
詰め込み教育に慣れていた私には到底合格できそうにない
非常に難しい試験だったのだ。

この入試のために毎日エッセイを読み書きしながら
英語は単純に文法と単語を覚えるだけではダメで、
「思考力」と「認知力」を合わせて身に付けていかなければならないこ
とに気づいた。

英語は思ったより早く伸びなかった。
外国に行けば英語の実力は自然に伸びるのかと思いきや
全くそうではなかった。

あの時、勉強には莫大な時間と集中が費やされるということも知った。
そうして入試の準備をし続けた。

二度の苦杯を喫し、ついに三度目の時、
入りたかった最高の私立国際学校に合格した。
でも、私はすでに身も心もボロボロの状態だった。

数年間、英語を駆使しながら生きてきた現地の子どもたちに
１年で追いつけという要求自体がありえなかったことだと、大人になって気づいた。
英語が非常に難しい言語であることを知らないからこそできる要求だったのだ。

それこそ「ミッションインポッシブル」だったのだ。
本当に過酷で無茶な挑戦だったけれど、あの時はそうとも知らず、ただただ走った。
知っていたとしても途中で止まることはできなかっただろう。
誰も無理な課題だと言ってくれず、当然な挑戦だと思っていた。

合格に感激した両親は町中に自慢しながら喜んだ。
でも、私は二回も落ちた末に合格したということに
落ち込み、自分の頭が悪いのだと思い込んでしまった。

英語嫌いなんていやしない

何も知らずに始めた「英語との戦争」は
本当に険しく、その後も辛い時間が続いた。
その頃、ほとんどの人は体験できなかった「留学」は
今では本当にありがたい貴重な体験だったけれど、
私の心には傷と傷跡だけを残した。
こうして私と英語の深い腐れ縁が始まった。

もうとっくに英語嫌いになってそうだけど、
財閥に近い家柄のヨーロッパの子どもたちが勉強する
名門の私立国際学校は、私に別の課題を与えてくれた。

「体格が二倍もある、目が青く、金髪の
ヨーロッパの子どもたちにビビらずに競争しろ」

ビビらないふり、大丈夫なふり、英語が上手なふりをしながら
彼らの文化と授業に追いつくだけで精いっぱいで英語嫌いなる暇すら
もなかった。
早く追いつかなきゃ、その一心だった。
学業のレベルが高すぎて追いつくのは大変だったけれど、
私はなりふり構わず、平気なふりをして再び走った。

だから大人になったら英語を教える仕事は
絶対、決してしないと誓った。
それが英語に復讐できる唯一の道だと思った。

しかし、大学卒業後、勤めていた大手企業、
ベンチャー企業を含む中小企業で
翻訳や通訳の依頼が絶えなかった。
自分に任された仕事はできず、
英語に関わる仕事で色んな部署に呼ばれる日々が続いた。
英語は絶対教えないと誓っていた私が
不思議なことに今は英語を教え、喜びと幸せを味わっている。
英語を教える仕事だけは決してしたくなかったけれど、
英語が私を慰めるかのように、呼び続ける。

あの辛かった時間は
私が英語を教えるに当たって、昔のように無理やりに押し付ける教育
法ではなく

学生たちをいたわりながら自尊心を高め、
効果的に英語の実力を伸ばす方法を
毎日研究させ、悩ませる。

幼い頃から続けてきた英語との戦いについて誰も分かってくれない。
しかし、子どもを私に預け、英語が上手くなるように
「厳しく」子どもたちをいじめてほしいとお願いしてくる親を見る度、
私は辛かった子どもの頃を思い出す。
すると、あの時の空気や草の匂い、そして空から見下ろした
華やかな夜景の思い出が一緒に浮かぶ。

そして、子どもたちを慰め、励ます。
私は英語で誰かを傷つけたくない。
この気持ちだけは守り通した。そうしなくても英語は上手になれる。
ただ英語が楽しく面白く
新しい道を開いてくれる、そういう「チャンスの英語」になってほしい。
そして、実際、英語はそういうものだ。

英語と私の出会いは腐れ縁で始まったけれど、
それは英語のせいではなく、周囲の人々の無理な期待と
英語に対する無知で作られた結果だと後から気づいた。

そして、英語を学ぶときは周囲の人々の役割も重要だと知った。

ひたすら待ち、励まし、助けなければならない。

押し付け、叱り、焦ると英語嫌いという逆効果が出てしまう。

英語嫌いなんていやしない。無知と無理が作り出した勘違いにすぎない。

その勘違いに騙されるな。

英語嫌いにならないよう、勘違いと真実を見極めよう。

If we are true to ourselves
We cannot be false to anyone.

-William Shakespeare

自分自身に素直な人は
誰にであろうと嘘はつけない。

- ウィリアム・シェイクスピア

□ 私を微笑ませる過去の思い出は？

□ 私を成長させた過去の経験は？

□ 私が過去に成し遂げた無理難題（ミッションインポッシブル）は？

□ 私が思い込んでいたことを告白してみよう。

私を知る喜び

人生をより楽しく生きるためには
先に私自身について知らなければならない。
私は何が好きか、
私の生き甲斐は何なのか、
一番幸せだった瞬間はいつだったのか、
そうして、ありのままの自分を愛するのだ。

太っ腹に生きてみよう

私はいつも人に興味があった。

最近、人々は何を考えて生きているのか。

大学生たちはどんな目標を持っているのか。

お父さんたちはどんな悩みを持っているか。お母さんたちの悩みは何か。

独身の男女は何を楽しみに生きているのか。本当に結婚しようと思わないのか。

社会人たちは将来、何になりたいのか。思春期はなぜやってくるのか。

これから人々の生活はどのように変わっていくのか。

この国、隣の国、多くの国の人々まで

何を考えて生きているのか、私はいつも気になっていた。

そして、今も常に同じ空の下、一緒に生きている地球の人々に

好奇心を持って生きている。

私は、みんなが私のように他人が何を考えて生きているのか
興味を持っていると思っていた。でも、実際話してみると、そうでも
なかった。
私がこんなに人々に関心を持つのは
海外で色んな国の人と一緒に勉強しながら、不安定な学生時代を送り、
色んな文化に接してきたせいだと思うこともあった。
でも、それも違った。同じ環境で育っても
私の兄や姉は人に全く興味がない。
ただ、私が「人と文化」に興味を持っている人間だったのだ。

大学時代、一番尊敬され、人気のある人といえば
なんといっても評価が甘い教授だろう。
私の通っていた大学にもいつもいい成績をくれる先生が二人いた。
その中の一人のあだ名は「Ａ爆撃機」で、もう一人は「Ａブーメラン」
だった。
Ａ爆撃機は、爆撃機のようにばら撒く「Ａ」の成績を
逆に避けづらいという意味でついたあだ名。
Ａブーメランは避けようと逃げても、「Ａ」がブーメランのように戻っ
てきて、
結局は成績が「Ａ」になってしまうという意味でついたあだ名だった。

しかも、本来なら三回以上欠席すると必ず「Ｆ」になるにも関わらず
何回も欠席した学生を立たせ
「君、もう一度欠席したらＢだからね！」と言ったという噂に
みんなが唖然としたこともある。

この噂は全校に広まり、みんなが押し寄せて
その授業の受講を申請した。
成績に厳しいことで有名だった大学で
こんな教授の存在は、まるで砂漠のオアシスのようなものだった。
急がないとその科目の受講申請は
すぐ締め切られるため、私は死ぬほど頑張って
その二人の授業を申請した。

しかも、Ａ爆撃機もＡブーメランもともに
人と文化を研究する文化人類学の教授だった。
「やっぱり！文化人類学者は太っ腹で、寛大で
視野が広いんだ。私、好みだわ！」
文化人類学の授業もどんなに楽しかったことか・・・。
授業が待ち遠しく、本当に一生懸命勉強した。

評価の甘い二人がみんな文化人類学の教授だったのは
偶然ではなかった。人と文化を長い間、研究していると
人類が生きてきたこれまでの過程が理解でき、共感し、
人類に対する憐みが生じてしまうという。
だから世界を見る視野が広まり、包容力もでき、
人生をあまり真剣に考えないため、
心が寛大となり、太っ腹になるのだ。

だから、私も文化人類学者になりたいと思った。
人生をより寛大に、太っ腹に生きたかった。
世界を回り、色んな人たちと文化を研究し
人類を抱え、理解しながら生きる人生！
それこそが私の求めていた人生だ。なんて素敵なんだろう！

しかし、文化人類学者になるには修士から博士まで
長い間、海外で勉強しなければならないという大きなハードルがあった。
結局、そのハードルを乗り越えられず、
大学卒業後、大手企業に就職してしまった。
しかも、全く性格の違うIT分野へと。
荒れた学生時代を送り、再び私の人生の第2幕は
そうやって狂い始めた。

ところが、時が流れ、あんなに憧れていた文化人類学は
巡り巡って英語と共にブーメランとなって私に戻ってきた。

十数年の社会生活の後、カウンセリング学の勉強がしたくなり、大学
院に入った。
学校に通いながら仕事も掛け持ちし、
仕事と専攻科目の時間を合わせるのは大変だった。
だから「文化人類学者」のように「太っ腹に」学位に囚われず
興味のある全ての科目を受けることにした。

そんな中、他の専攻の必須科目として設けられた文化人類学の授業を見つけ、どんなに嬉しかったか。
全てを差し置いてその授業を受けることにした。
やっぱり大学院でも文化人類学の教授は A 爆撃機だった。
そして、専攻の教授よりも私を認めてくれた。

今、私は幼い頃の経験と特技を活かし
色んな人々に英語を教えている。
文化人類学は教養科目として終えてしまったけれど、
人と文化を愛する私は、自称「文化人類学の英語の先生」だ。

人に寛大に接し、太っ腹に考え
視野を広め、人生をより興味深く、楽しく生きられるように
英語を教えてくれる文化人類学の英語の先生。

辛く競争の激しい、厳しい世の中だけれど
自分を見つけ、気づき、描きながら生きると
人生の香辛料となりうる喜びを見つけられるはずだ。

みんな、寛大に、太っ腹に、楽しく、温かく
文化人類学者の人生を生きてみよう。

スタバが好きな本当の理由

スタバは世界共通のカフェと言えるほど
スタバのない地域は見つけづらい。
コーヒーの味はどこも同じような気がするが
なぜスタバはこんなにも人気なのだろうか。

実は、ヨーロッパでスタバはそこまで人気ではなかった。
アンティークな建物と古い歴史、伝統文化を誇る
ヨーロッパの街にあるスタバは日本のスタバとは完全に違う。

伝統のあるアンティークなカフェの立ち並ぶヨーロッパで
スタバはこじんまりとした雰囲気の憩いの場ではない。
むしろお金の匂いを漂わせ、実用性を重視した
少し資本家が建てた工場のような感じがする。

しかし、日本のスタバは何となくおしゃれで、
なんだか入ると癒しとなり、独特なブランド文化も体験できる
そういう喫茶店のように見える。

私たちはなぜスタバが好きなんだろうか。
パソコンや携帯の充電ができるから？
一人で座って作業できるテーブルが多いから？
コーヒーが美味しいから？

違う。私たちはスタバで私たちの「アイデンティティ」を見つけている。
カプチーノ、ラテ、マキアートなどの色んなコーヒーの種類、
シーズンに合わせて発売される新しいコーヒーと飲み物、
ショート（Short）、トール（Tall）、グランデ（Grande）、ベンティ（Venti）
などの色んなサイズ。
こういったコーヒーの種類やサイズの名前は色んな言語で構成され、
コーヒーを注文する度、まるで自分が色んな言語が話せる
この時代の知識人のように感じられる。

デカフェ、ハーフデカフェ、カフェイン、ホイップクリーム、ワン
ショット、ダブルショットなど
コーヒー一杯で好みを思う存分表現でき、
ケーキ、サンドイッチなどのコーヒーに添えるメニューは色んな好み
に合わせて揃っている。
客を呼ぶときは番号ではなく、おしゃれなニックネームで呼ぶ。
そうして、再び自分の存在感を確認する。

年末になると、スタバのダイアリーを選びながら
過ぎた一年を振り返る。色んなタンブラーを購入して
持ち歩きながらも自分のアイデンティティが確認できる。

スタバはそのブランドにしかない文化を作り出し
コーヒーだけでなく、文化を販売している。
そして、私たちはその文化の中でアイデンティティと存在感を確認する。

世界の有名な人々を招待し、トークショーを進行していた
オプラ・ウィンフリー (Oprah Winfrey) のインタビューの中で、記憶に残
る言葉がある。
どんなに著名な人も、みんなが仰ぎ見る世界的トップスターも
トークショーの録画を終えた後、必ず聞く質問が一つあるという。

その質問は、「私、どうでした？インタビュー大丈夫でした？」
あの有名なアメリカの大統領も、
みんなが熱狂するハリウッドの俳優さんも
世界的なポップスターも、一人残らずこう聞く。「私、どうでした？」

有名な人たちも自分のアイデンティティが
どんな風に見えていたか、常に確認したがるということだ。
どんなに有名でも、偉そうに見えても
私たちは自分のアイデンティティの確認に飢えている。
これが、スタバが愛される本当の理由だと思えるのだ。

これが私の人生でした

世界的に4億5千万部の販売実績を残し、大ヒットの中でも大ヒットした小説。
「ハリーポッター」を知らない人はいないだろう。作家の J.K. ローリングがシリーズの最後の作品を執筆する内容と彼女がどうやって大成功を成し遂げられたのかを扱ったイギリスのドキュメンタリーを見たことがある。

J.K はハリーポッターが成功する前まで
国の補助金をもらいながらシングルマザーとして娘と貧しく生活していた。
ハリーポッターを出版社に投稿する時、コピーするお金がなく、12部を全て直接手書きで書いて提出するほど、経済的に困っていた。
そして、12の出版社は全て出版を断った。

J.K が諦めずに小説を書きながら暮らしていた小さなマンションに訪れた。
そして、ハリーポッターがこんなにも成功するとは知らず、

自分のやりたかったことを最後まで続けていた
あの頃の生活を思い浮かべては涙を流した。

感慨に浸って泣いていた J.K は
ハリーポッターを書いたその小さなマンションの机と部屋を眺めながら
しばらく一人の時間に浸った。そして、こう言った。
「これが私の人生でした (It was my life), これが私の人生だったのです」

「これが私の人生でした」と何度も繰り返しながら、
辛かった日々を憎んだり否定したりせず
その時間をいたわりながら慰め
自分の人生であったことを認めながら感謝の気持ちで涙を流す。
そう告白する J.K を見ながら私も泣いてしまった。

辛かった時間が自分の人生だったという言葉から
J.K が自分の過去を認め、そして自分の人生にどれだけ
愛着を持っていたかが伺える。

彼女は一度も有名になることを夢見たことがなかったという。
ただ本がたくさん読まれてほしかっただけで、
自分があまりにも有名になったせいで、逆に困惑しているとも言った。

J.K. は、アメリカで開かれる自分のサイン会に参加しようと
着いた場所で長い行列を見て
「今日、何かのセール日なんですか？」と聞いた。
すると、出版社の関係者はその質問に
「J.K、あなたにサインをもらおうと並んでるんですよ」と答えたらしい。
その時、ようやく J.K. は自分の人気を実感したという。

私たちはどんな人生を期待しているのだろうか。
家族を養い、子を育て、たまには旅行をし、
ただただ病気にかからず、生きていくことを願うだろうが、
それ以前に
自分がどんな風に生きていようが、またどう生きてきただろうが
過去と現在の人生を愛そう。辛くて大変な時を歩んでいたとしても
今のその日々が私をどんなところに連れて行くか分からない。

次はドキュメンタリーの記者が J.K に投げかけた質問だ。
この質問の返答を通じて J.K. はどんな人間で、どんな価値観をもち、
そして、どんな風に生きたいのかが分かった。
私たちも自分の人生をもっと理解し、慰めるために
次の質問に答えてみよう。

1. あなたの一番好きな美徳は？

　　J.K. 勇気 (courage)

　　あなたの答え _____

2. あなたの一番嫌いな悪は？

　　J.K. ひどい偏見 (bigotry)

　　あなたの答え _____

3. 過去の何を許したいか？

　　J.K. ひどい暴食

　　あなたの答え _____

4. あなたの一番目立つ性格の特徴は？

　　J.K. 最善を尽くす者 (trier)

　　あなたの答え _____

5. 一番怖いものは？

　　J.K. 愛する者を失うこと (Losing someone I love)

　　あなたの答え _____

6. 社会で男性たちに求める資質は？

　　J.K. 道徳 (moral)

　　あなたの答え _____

7. 社会で女性たちに求める資質は？

J.K. 寛大さ (generosity)

あなたの答え _____

8. 友だちが持っている一番尊敬する資質は？

J.K. 寛容 (tolerance)

あなたの答え _____

9. あなたの一番の欠陥は？

J.K. 短い見解 (short views)

あなたの答え _____

10. 一番好きな職業は？

J.K. 作家 (writer)

あなたの答え _____

11. 一番幸せだった瞬間は？

J.K. 子どもたちが生まれた時

あなたの答え _____

12. 一番後悔していることは？

J.K. 亡くなった母と最後の電話をもっと長くできなかったこと

あなたの答え _____

13．人生で成し遂げたいことは？

J.K. 成長

あなたの答え ＿＿＿＿＿＿＿＿＿＿＿＿＿＿＿＿＿＿

14．何があなたを生きさせていますか？

J.K. 生まれつき最善を尽くしながら生きること。

あなたの答え ＿＿＿＿＿＿＿＿＿＿＿＿＿＿＿＿＿＿

15．他の人々にあなたのことをどう思ってほしいですか？

J.K. 持っている才能で最善を尽くした人

あなたの答え ＿＿＿＿＿＿＿＿＿＿＿＿＿＿＿＿＿＿

「純粋さ」も一つの能力

人をどんどん商品化する時代になってきている。
商品の仕様のように、私のできることを増やしていく。
つまり、「私はこれとあれができるから、連れていって」のような
人間の商品化に慣れてきているようだ。
だから色んな資格を取り、
できることを増やすために
色んな経験をしようと頑張る。

できることが増えていくにつれ、
この全てを楽しみたがる最近の子たちは
早くからお金の価値を知り、将来について悩む。
だから、知識人として生きるために勉強し、大学に行くのではなく、
価値のある人間になって、良い職場に就職するために大学に入学する。

小学生の時から徹底的に教育を受ける。
あまりにも早く純粋な心を失っていくようだ。

純粋な人に接したとき、私たちは自然と微笑み、
どこからか押し寄せてくる優しさを感じる。
純粋な人を見ると、私もなんとなく愛おしくなり、一緒にいたくなり、
会いたくなる。
だから、私たちは毎日、自分の価値を上げるために悩みながらも
常に純粋な者を求め、探している。

条件なく純粋に私を愛してくれる人、
私も条件なく愛せる人を求めるが
大人になると、世の中のことを知り、純粋さを失うため
相手にも純粋な気持ちを求めることが段々難しくなる。

厳しい世の中で私は純粋な心に接することのできる強運の持ち主だ。
まだあまり勉強していない幼い子どもたち、
人間の価値なんぞ知らず、ただ遊び好きの子どもたちと毎日触れ合う
からである。
英語を教えるとき、子どもたちに私を真似するように指示したあと、
咳をしてしまうと
純粋な子どもたちはそれも英語だと思い、そのまま真似してしまう。

そういう子どもたちを見ていると、笑ってしまい、先生がなぜ笑うのか
わけも分からないまま、一緒に笑って喜ぶ。

仕事をしている中で接する純粋な気持ちは、私の心を癒し、
自然と愛しい子どもたちに心を奪われる。まるで魔法のように。
そして、私は純粋さについて再び考える。
純粋さは、この時代のどんな能力より価値のある能力だ。
私の能力に「純粋さ」も追加してみよう。

ありのままの君が好き

誰にだって、学生時代、同じクラスや近所に
好きな男の子や女の子が一人ぐらいはいただろう。
私も小学生の頃、同じクラスに好きな男の子がいて
数年後、同じ大学でその子に会って
びっくりしたことがある。

「ブリジット・ジョーンズの日記」は幼い頃の幼馴染に偶然会い
面白おかしくお互いを知り、仲良くなっていくラブコメ映画だ。
あの有名な古典文学「傲慢と偏見」をモチーフに作った作品で、
現代版コメディ「傲慢と偏見」ともいえる。

ブリジットは、32歳の独身女性である。
完璧な男性を探している彼女は、ある日、母が開いたパーティーで

幼馴染であるマーク・ダーシーを紹介してもらう。
しかし、ダーシーがパーティーで自分に対して
「煙突のようにタバコを吸い、魚のように酒を飲む人とは
デートしない」と言うのを立ち聞きし、
ダーシーに好意を持たないまま、二人は別れる。

そして、ブリジットは自分の編集長であるダニエル・クリーヴァーと
夢のようなデートをすることになるが、
ある日、浮気性であったダニエルが
予想通り他の女性と一緒にいるところを目撃し、
結局、別れることになる。

その後、食事のために招待された家で偶然ダーシーに再会する。
ブリジットをずっと見てきたダーシーは自分の好意を表す。

ダーシーはこう告白する。
「私はあなたが本当に好きです。ありのままのあなたが
(I like you very much just as you are).」

この告白がブリジットの心を強く揺さぶった理由は、
ダーシーがブリジットの突拍子のない行動、何も考えず投げかける言葉、
人前での変なスピーチ、タバコを吸い続ける等の

おかしな行動を知っていたにも関わらず、
「ありのまま」がいいと言ったからである。

素敵な外見、明晰な頭脳、能力が好きなのではなく
短所、その姿のままが好きということである。
飾らず、純粋な姿のまま。
私たちは周りの人に良く見せるためにどれだけ緊張して生きていく
のか。
ダーシーの告白は、そういう私たちの心に響く。
もう人の目を気にせず生きていいということなのだから。

ブリジットは友だちと、彼の告白が褒めているのか否かで悩む。
「ダーシーの告白は一体どういう意味なんだろうか。」
友だちとブリジットは真剣に悩むが
ありのままがいいというから
ただ嬉しいという結論を出すだけだった。

終わらない競争世界を生きていく若者たちに
こういう愛を求めろというのは、無理なんだろうか。
条件や上辺だけじゃなく
「ありのままの君が好き」と告白できる愛。
私は、この時代の全ての独身男女に本当に幸せになりたかったら
こういう愛を探せと勝手ながら勧めたい。

ブリジットも悩んだ末、ダーシーに告白する。
私も「同じく (Likewise)」と。
母が買ってきた滑稽な服を着て
傲慢で、話すたびに相手を怒らせ
頬ひげは長すぎるけど、
「それでも
私も、ありのままの君が好き」

"I like you very much just as you are."

-Bridget Jones' Diary

ありのままの君が本当に好き。

-「ブリジット・ジョーンズの日記 」中

考えてみよう

□ 今日の私を存在させた一番重要な価値観は？

□ 私の自我を一番大きく発見させる場所はどこか、何なのか？

□ 今日の私に生きていくことを決意させたものは？

□ 私のありのままの姿とは？

1幕3章

発見の喜び

私たちは毎日生きていく。
ただ過ぎていく一日の中で
私をもう一度振り返ってみよう。
これまで発見できなかったものを
新しく見つけるのだ。

完璧主義からの解放

世の中に完璧な人は一人もいない。
当然な話だけど、激しい競争と共に
マスコミに映し出される人々のイメージはなんとなく
完璧に見え、私を圧迫してくる。
でも、一緒にいて疲れる人はまさにこういう「完璧主義」の人だ。
心理学でも完璧主義のお母さんが子どもの教育に一番悪いという。

しかし、こういう事実を知りながらも
ミスをしたり、私の弱点が人の前に晒されると
私たちはどうしても直したくなる。
英語の実力が伸びてもこの完璧になろうという気持ちは色んな部分で
邪魔してくる。
そう、私はあることにチャレンジしようとするとき、
完璧主義がとても邪魔になることに気づいた。

でも、「どうしたら完璧でなくていいということを学生たちに伝えられ
るだろうか」、「どうしたら私もこの緊張から解放されるだろうか」
悩んだ末、完璧主義から逃れる魔法のような呪文を見つけた。

子どもたちが帰ってくる時間に帰り、
子どもたちが問題を起こすと学校に相談に行き、
夫の帰りの時間に夕飯の支度をしながら、
家事を全部請け負っている主婦たち。
自分の人生より他人の人生を管理する担当だ。
だから、世の中、自分の思うままにならないことをよく知っている。
いつどこで何が起きるか、予測できないため、
完璧なものなどないことを知っているのだ。
そして、この悟りの中、素敵な言葉が誕生した。
「うん、大丈夫。そんなこともあるさ」

主婦の間でこの言葉を聞き続けると、最初は
「何が大丈夫なんだろう？ちっとも大丈夫じゃないんだけど？」と思う
かもしれないが、
聞けば聞くほど、緊張を解し、慰めとなる。
そして、完璧である必要がないということが優しく伝わる。

この表現はいつどこで何のミスをしたか、責任を問わない。
「この世に完璧な人はいない。君も完璧じゃないから大丈夫だよ」という
言葉を優しくかけ、全てを流してくれる。

この一言は、遅刻だろうが、やるべきことを忘れたろうが、
ミスをしたろうが
いつでもその状況を問い詰めず、解決する非常に「互換性」の高い言葉である。

「うん、大丈夫。そんなこともあるさ」は、共感、励まし、慰め、
そして、温かさまで感じられる世界最高の共通語だ。
英会話の授業中、突拍子もない単語を使っても、文法が間違っていても
おかしな発音をしても、この一言でまた勇気を得る。
みんな、お互いにこの言葉をかけてあげよう。

「うん、大丈夫。そんなこともあるさ」

思わぬ喜びとは

体調が悪く、英語の授業を休むと、学生たちの反応に妙な気分になる。
講師の個人的な健康問題で予定されていた授業ができなくなったのだから
学生たちに本当に申し訳ない。
しかし、学生たちはとても喜ぶ。
特に、幼い子や大学生、社会人よりも主婦の学生たちが一番喜ぶ。
たまに私が病気になったことに喜んでいるのか、
休講となったことに喜んでいるのか
分からなくなるときもあるけれど、とにかくとても喜ぶ。

メールで休講を知らせ、申し訳ない気持ちを伝えると
喜び、歓喜または感動や感謝の意味がこもった
あらゆるスタンプが飛んでくる。
そして、たまには休講してもいいという言葉まで付け加え、
英語の勉強による苦痛を表現してくる。

それでも英語を手放さず、
勉強し続ける彼らの努力がなんと素晴らしいことか。

どうであれ、私たちはこうして予期せぬ良いことがあったら
こんなにも喜ぶということが再び分かった。
だからたまには予期せぬ喜びを送ってあげたくなってしまう。

喜びを生み出す発明品？

化粧をした後、鏡の中の自分をみると、自分が別人と化す
この現代技術に本気で敬意を表したくなる。

人をここまで変えられるものが化粧品以外、他にあるだろうか。
たまに化粧した姿が素顔よりずっときれいで、人々を騙している気がして
化粧をやめたくなるときがある。
このように化粧品の持つ力というのは本当にすごいものだ。

シンデレラの妖精おばあちゃんを呼ばなくても
私はいつでもこんなに美しくなれるのだから。
そして、私の偽装術で人々に目くらましをしていても
違法ではない。なんと素晴らしい発明品か。

最近は中学生も化粧をする。

化粧の下手な女の子を見て、たまに男の子が私に聞く。

「先生、化粧は可愛くみえるためにするんじゃないの？」

自分の目には化粧前より後の方がおかしいという意味なのだろう。

英語の討論授業で「中高生が化粧していいのか」というテーマが提示されたことがある。

意見がきれいに女の子と男の子とで分かれ、

女の子たちは自己満足だという主張で賛成、男の子たちは外見ではなく内面を磨くべきだと二分に分かれ、熱い討論が続いた。

そして、女の子たちは化粧品への賛成意見を決して曲げなかった。

そう、化粧品は女性にとって最高の発明品だ。

なら、男の子にとって最高の発明品は何だろうか。

きっと携帯だろう。男の子は知らない子とも

携帯ゲームの話をすると一瞬で仲良くなる。

ゲームの話ができれば、友だちと付き合うのも簡単だ。

たまにスマホがなくて他の子のゲームを盗み見する子をみると

教育を理由にスマホを買ってあげないことが果たして正しいか迷う。

女の子に携帯を買ってあげないケースはほぼないけれど

男の子の場合はゲームにハマることを恐れ、

もしくは卑猥な動画を見るのが心配で

買ってあげないケースをたまに見かける。

これは、正しいように見えるが、一方でこの時代を生きながら
1960年代より衰えた生活をしているのではないかと
思ったりもするし、両親が自分を信頼していないという気持ちで
自信を失いそうな感じもする。

ただ、スマホのゲームやウェブ漫画、ユーチューブやSNSは
子どもたちを活字から遠ざからせ、
本との距離が段々大きくなってしまう。
携帯が与える単純な快楽で
勉強が嫌いになる可能性も高い。
ゲームを毎日2～3時間ずつする男の子たちの中には
授業を忘れたり遅刻をするなど、
真面目さに欠けている場合もたまに見かける。

しかし、スマホを持っている男の子たちがみんなそうだというわけで
もないから
スマホを持たせないのが果たして正しい方法なのか、
考えてみる必要がある。スマホのない子どもたちがその事実を
非常に恥ずかしく思い、落ち込んでいるのをよく見かける。
悩まされるところである。ゲームで心配になる部分もあるはあるが、
携帯のない子どもたちは学校があっても
一人で寺小屋に通っているような
感じに見える。

では、あなたが思うこの時代の最高の発明品は何だろうか。

尊重は難しすぎる

思春期の子どもたちに英語を教えていると
最近、何が流行っているか正確に分かる。
この前まで女の子たちの間で「TikTok」という
SNS が非常に流行っていた。
「TikTok」だけでなく、インスタグラムとかも流行り
暇さえがあれば、自撮りをしたり、
飲んでいる飲み物を可愛く撮ったりしていた。

たまに差し入れとして入ってきたデザートを披露すると
フォークよりも先にスマホを取り出す。
みんな、カメラマンかのように、真剣にデザートの写真を撮る。
私は、そういう時間が一番慣れない。

周囲の人の目を気にし過ぎて
お互い今日何を食べたか、何を飲んだか、どこに行ったか
ネットに披露することで、周囲に認められた気になる。
これが、最近の子どもたちの文化である。

また、中高生の間で断トツに目立つファッションはマスクだ。
マスクは風邪を引いた人が他の人に移さないために始まったものが、
ファッションに発展し
最近は、特に思春期の子どもたちは
授業中もマスクをつけたまま座っているケースが多い。(新型コロナウィ
ルスの前も)

最初はマスクをつけて授業に入った
学生たちがみんな風邪を引いたのかと思った。
しかし、そうでないことを知った後は
まるで「私はなんの返事もしないから、声かけないで」
と言っているようで、どうしていいか分からなかった。

英語の授業では特に学生たちが読んで話すのを聞きながら
発音を直さないといけないというのに、できなくて困る。
マスクをつける理由は様々だ。化粧ができなくて、
クールに見えたくて、本当にしゃべりたくなくて。
マスクを取るよう言いたいけれど、彼らはファッションだと、
放っておけという。

思春期の子どもたちのファッションや文化を尊重することにした。

そして、私は沈黙の中、授業をする。

英語を通じて色んな変化を見る。

とても早く過ぎ去る流行りと

恐ろしく押し寄せてくる変化の波を。

努力の女王を紹介します

企業講義、社会人のための英語講義をしていると
大人が一生懸命英語を勉強して上達するのは
非常に難しいことだと毎回思う。
「不可能」に近いとも言うべきか。

それでもたまに長い間英語を手放さず、
熱心に勉強する人に出会うことがある。
だから私はそういう人に会うと
心の中で彼らに賞を与える。今からその受賞者を紹介しよう。

忍耐の女王、リベカ
リベカは、ある大学病院で 20 年以上働く専門の看護師さんだ。
仕事や昇進に英語は全く関係ないけれど

ただ英語が好きで興味を失わず、
5年近く授業を受けながら発展していく姿を見てきた。
小学生と中学生の子どもを持つ母として子どもたちの養育だけでなく
仕事をしながらも大学院まで行って勉強を終え、
看護婦長まで昇る過程の中でも英語を手放さなかった。
英語の授業を通してリベカに会う間、彼女のこの全ての過程を
傍で見れる名誉が私に与えられた。

面接を受けるなど、人前で話すとき、いつも緊張していたリベカ。
彼女は英語の討論授業でどことなく投げかけられる私の質問に
英語で答えることで鍛えられ、大胆になれたという。
だから大学院の面接や大学院の討論授業でも
看護婦長の昇進面接の時も
全く緊張しなかったという彼女の告白を聞いた時、
私は英語教師として言葉で表現できない喜びと遣り甲斐を感じた。
何よりも自分との闘いに堪え、勝ち抜いたリベカさんを尊敬する。

こうして、心の中でリベカさんを「忍耐の女王」に任命した。

努力の女王、ジュリア
ジュリアはIT分野のエンジニアだ。
大学生二人の母であり、会社では部長。
本当に英語が上手になりたいというジュリアは

高校生の時、英語が上手だったけれど、使わなさ過ぎて
英文の解釈ができないと言っていた。
しかし、5年近く共に時事に関する英文を読み、議論するうちに
ジュリアは自分なりの考えをかっこよく英語で表現できるようになった。

もう一度生まれ変われるとしたら、どんな人になりたいかという質問
に「英語の先生になりたい」という彼女の冗談から
英語への気持ちが窺える。

英語が上手だったら海外の現地会社で働けるチャンスも多かったのにと
予め英語を勉強しなかったのが悔しいと言っていたけれど、
そういった環境が組織を率い、子ども二人を大学に送り
家族の世話もしながら英語を手放さず、自分の発展のために
頑張る現在のジュリアを作ったのだ。

こうして、私はジュリアを「努力の女王」に任命した。

情熱の女王、エミリー
エミリーは30代の独身女性だ。
8年間、会社の監査チームで能力を認められ、
堂々と生きているキャリアウーマンなのである。
エミリーははっきりものを言うタイプで、何か決定するときも判断が
早かった。

そして、若者らしく素直だった。
自分の収入に満足していると言う会社員は彼女が初めてだった。

エミリーと初めてメールで相談した時、
私は彼女が男性だと思った。
普通、男の人たちは相談の際、あれこれ聞かず
早く決定を下す傾向が強いのだが、エミリーがそうだったからだ。
しかし、実際に訪れて来た時、彼女が女性だということにびっくりした。

エミリーはとても忙しい。残業や海外出張が多いにも関わらず
色んな趣味も並行しながら英語にまで一生懸命だった。
安楽死の危機に陥っている犬を助けるために
海外に行くボランティアにも参加して、結婚には興味がないが
男性と付き合うならどんな男性がいいかという英語の質問に
詳しく細かく男性観を語っていた。

個性を持って一人で生きながら、会社でも監査の仕事を受け持ち、
他のチームに守るべきことを黙々と伝えるエミリーさん。

エミリーさんを「情熱の女王」に任命した。

The real voyage of discovery consists
not in seeking new landscape,
but in having new eyes.

-Marcel Proust

本当の発見の旅とは、新しい景色を見つけるこ
とではない。
新しい目で見ることだ。

- マルセル・プルースト

□ これまでは気にしなかったけど、最近新しく発見したものは？

□ 一番好きなファッションスタイルは？

□ 周りに一生懸命生きている姿を褒めたい人はいますか？なぜその人を褒めたいですか？

乗り越える喜び

人生を生きていると、時には想像もしなかった
苦痛と痛みに向き合わなければならないときがある。
その痛みから逃れるために
足掻き、声を出して泣いてみるけれど、
時にはただ静かに痛みの中に留まっていると
痛みから勝ち抜く知恵がやってくることもある。

拒絶から勝ち抜く方法

大学の同期や後輩の中には、高校時代、常に全校1位の座を維持し
次席や首席で大学に入学した後、
完璧に近い成績で卒業した人たちが結構いた。

こうして優秀な道だけを歩んできた同期たちの何人かが
大学4年の時、大手企業に履歴書を出した。
そして、当然合格すると思っていたものが、不合格になると
ショックを受け、立ち直れない様子を見せた。
結局、再び挑戦することなく、普通に結婚してしまった。

これまでずっと最高だったから。
就職の時も当然どこであろうと受かると思ったのが
不合格の連絡を受け、初めて経験した「拒絶」にどれだけ心が痛んだ
だろう。

だから、結婚を選んだのだ。
そう、就職の一環として企業の代わりにお嫁に行ったのだ。

いつも1位を取ってきた彼女らは
一度も「拒絶」というものを味わったことがなかったのだ。
小中高で常に教師たちに愛され、
両親から褒められて生きてきたのだろう。
大学の時も常にトップクラスだったから、想像もできなかった拒絶を
受け入れられず、二度と味わいたくない気持ちは十分分かる。

私はすでに海外で小学校の時から2年の浪人生活をしたせいか、
幼い頃から不合格の連絡を受け、拒絶に慣れていたけれど
(正直、人格のある人なら拒絶に慣れることはないだろう。
ただ、経験し、拒絶が何なのかを知り、笑い過ごすだけ)
常に最高だった、頭のいい友達は
社会的拒絶に耐えられない姿をたまに見せる。

だから、私は英語を教えながら出会う学生たちの中に
いつも1位で自信に満ちた子どもたちを見ると、彼らに心から問い返す。
「社会での拒絶を受け入れる準備はできているのか?」
「拒絶から勝ち抜くこと、それこそが本当の競争力だ。」
「私たちが本当に育まなければならない力は拒絶から勝ち抜く力だ」

人々が一番辛く感じる感情は、拒絶された時の感情だろう。

恥ずかしさもあるだろうが、自分のプライドや自尊心に傷がつくからだ。

だけど、社会生活は全てが拒絶との闘いなのだ。

そして、この拒絶と直接対面したら百戦百敗だ。

この戦いでの敵は自分以外誰もいないのだから。

恥ずかしく自尊心を落としめる拒絶との闘いは、すなわち

自分との闘いであることを認めた時、ようやく勝てる。

拒絶から勝ち抜く方法を紹介しよう。

まず、自分が感じる感情が何なのかをはっきり認知しなければならない。

そして、拒絶された時、その感情が押し寄せてきたら、無視して断ろう。

ただの感情にすぎないのだ。

最後は笑って忘れちゃおう。

円形脱毛から逃れるまで

社会人に英語を教えていると
たまに月曜病をひどく患っている人に会う。
「日曜日の夜になると眠れないんです。」
「月曜日は明け方5時から目が覚めて何もできません。」
「月曜日だけ辛いんじゃなくて出勤する毎日が苦しいです。」

会社が辛いのには色んな理由があるだろうが、
大きく分けて、人か仕事のせいだろう。
職場での一番のストレスの原因が仕事という人もいるだろうが、
職場の上司を選ぶ人も少なくない。
業務が気に入らないなら他の部署に移動したら済む話だが、
上司を理由に部署を移動するというのは難しいことだ。
移動できたとしても良い上司に出会えるという保証もない。

為す術もなく、苦しい一方である。

企業で講義をする度、そこで働く人の多くが

職場に対して愚痴っていた。

そして、その不満と文句は6ヵ月、1年、

講義が始まってから終わるまで、ほとんどが解決されなかった。

一時は私も一日の日課が辛すぎて地獄のように感じられた時があった。

色んな人と毎日会うのが辛くて

まともな休憩も取れず、体力も尽きていき、

希望が見えず、無気力な状態が続いた。

毎朝、起きて一番最初に思うのは「今日も目覚めたんだな」で

「この人生から逃れられれば」とため息で毎日を始めた。

正確な原因が分からず、毎日がそうして1年近く過ぎていった。

そうしたある日、髪を乾かしている際、

右側の頭にできた百円玉サイズの円形脱毛を見つけた。

私への1次警告だった。

円形脱毛という一つの悩みを抱え、出勤して企業講義で社会人に会った。

そして、文句を並べたたくさんの社会人たちをより注意深く見るように

なった。

安定した職場に勤め、自由に休暇も出せる

ワークライフバランスも実現し、

ただで英語も会社で習えるんだから素晴らしい職場ではないか。

失業で苦しむたくさんの人々や
不安定な収入のフリーランサーとして生きていく私に比べると幸せそ
うだった。
もちろん、私には分からない辛さもあるだろうけれど、
環境を変えられないなら自分の考えを変えるべきだと思った。
こんなことを考えていると、昔読んだ本の内容を思い出した。

ある遊園地では職員たちに仕事に対する動機付けをするために
世界平和に貢献しているというプライドを持たせる教育をするという
内容だった。
日常に疲れた人々が遊園地で休憩を取り、
楽しめれば、現実に戻って再び熱心に生きる力を得る。
そのため、遊園地の職員たちが世の中が上手く回っていくよう
世界平和の維持に役立っているという論理である。もっともな話だ。
自分はただの庶民として働いているだけだと思うかもしれないが、
それが世の中に及ぼす影響を知れば、自分の仕事の価値を知り、
毎日より元気よく生きられるようになる。

だから私も決めたのだ。
毎日たくさんの人の機嫌に合わせるために感情労働をしながら受ける
ストレスと疲労の中からもう逃れると。
私の助けを待ち、それによって変わっていくたくさんの人々の存在に
気づき、こういう人生の意味を見つけ、幸せを見つけると。

まず、この世で私以上に重要な仕事をしている人はいないと
考えることにした。
二つ目、たくさんの人に会うことは
人には経験できない、私の職業だけの利点だと思うことにした。
三つ目、こういう仕事は健康と体力が必要になる。
だから私はこんなに健康な体を持っていることに感謝することにした。
四つ目、目には見えないが、毎日新しい私の教えに
今日と昨日が変わる人々がいることから
私の存在意義を見つけることにした。
最後に私は今日も続く経験で
どんどん成長していることに感謝し、嬉しく思うことにした。

すると、毎日の生活が大切な宝物のように思えた。
そして、週末だけを待たない人生を生きるためには
こう生きるべきだったと知った。
驚くことに円形脱毛した部分から髪の毛が再び生え始めた。

歳に隠された秘密

どんどん時間が流れ、
「私ももう歳を取ったんだな」と思うと少し寂しくなる。
歳を取ることは人生の別の痛みでもあり、
恐れでもある。
もちろん、考え方次第だろうが、
歳を取ることをよく思わない社会的雰囲気のせいで
余計そう思ってしまう。

だからといって、大学生の時に戻れと言われたら、それはしたくない。
あの頃の肌や若さはいいけれど、今の成熟さや知恵がないからだ。
歳を取ることは宇宙の摂理なのだから
きっとその法則には理由があるのだろう。もちろん、良い理由が。
だからただ老いることだけを考えながら悲しまず、

宇宙の法則の中に隠された「歳の秘密」を探さなければならない。

六、七十代の大人に英語を教える時、
「老いることは悲しいこと」とお互い話し合っているのを聞いたことがある。
当時、私とは関係のないことのように思え、何も考えず聞いていたけれど
もう私も老いていくのを感じながら
あの時、彼らが交わした会話を振り返ってみる。

共に勉強していた三、四十代の人たちは大人が「英語を諦めず、
歳を取ってもずっと英語を勉強しようと頑張る姿がかっこいい」と言った。
しかし、これは「勉強する歳は過ぎた」という間違った考えからくる
言葉だ。
学びに年齢制限なんてない。
呼び方から間違っている。
私たちは名前を呼ぶ前に年齢を意識しなければならない。
そして当時の三、四十代の人たちは名前ではなく「おばさん」と呼ばれた。
本当に残念な話だ。

オプラ・ウィンフリー (Oprah Winfrey) の「スーパーソウルサンデー (Super
Soul Sunday)」は
世界に良い影響を及ぼしている人々をインタビューする番組だ。
オプラがインタビューしたエディス博士は、幼い頃、体操とバレエを
学びながらハンガリーで幸せに暮らしていたユダヤ人だった。
ところが、16歳になった時、ナチスの侵略で
母と父はガス室に連れ去られ、殺された。

彼女と弟もナチス収容所キャンプに閉じ込められる。

やがて米国の連合軍により奇跡的に生き残る。

残酷な環境で生き残ったエディス博士は1949年に結婚した後、

夫と子ども三人と共にアメリカへ移住する。

英語を一言もしゃべれない状態で勉強をやり直し、

大学に入学し、修士と博士を経て

トラウマで苦しむ人々を治療する心理学者となる。

そして、90歳の時、「The Choice」という本を初めて出版する。

この本は自分を拘束しようとするトラウマと恐れから逃れ、

本来の姿を取り戻せという強いメッセージを伝えている。

エディス博士はオプラとのインタビューでこう語った。

「犠牲者は私のアイデンティティではありません。

それは私に起きた出来事に過ぎません。」

これを通じて私は二つのことを学んだ。

90歳であるにも関わらず、「この年で本を書いてどうする」と

年齢を気にせず、やりたいことをやり遂げたことと

若くはない歳になっても人々を治癒するために

自分がナチスから受けたトラウマと痛みを活用したということである。

「自分の選択によって過去の苦痛をチャンスにできる」

こういう希望のメッセージを伝える「The Choice」は世界的なベストセラーになり、

苦しむ多くの人々に希望を与えている。

「こんな歳にもなって」という言葉をよく聞く。
まるで「もうすぐ死ぬだろうに、こんなことして何の意味が」という
ような非常に否定的な言葉だ。
歳を取る人々を無気力にしてしまう原因でもある。

「適齢期」とかもそうである。
結婚適齢期、妊娠適齢期、転職適齢期などなど。
適齢期が近づいてくると自分の意志とは関係なく
なんとなく圧迫を感じる、そういう文化なのである。

私はみんなが年齢から解放されてほしい。
大人たちが年齢を意識せずに勉強をし続け、
最後まで人生の主役として生きていてほしい。
若かろうが、老いていようが関係なく
世の中は一人ひとりが持っている経験と才能が必要だ。
歳を取れば取るほど、その経験は世の中を
より希望に満ち、美しく変えることができる。
だからこれからはこう言おう。

「歳は、私のアイデンティティではありません」

共感 VS 同情

生きていると、とても辛い時がある。
たまに人と辛かったときの経験について話し合うと
各自、感じる辛さの程度がとても違うということに気づく。

相手の話を聞くと
到底耐えられなさそうなことを経験した人もいて、
そんなに大変とは思えないことも大変だったという人もいる。

相手の経験を当事者の観点から考えず、
自分の経験に照らし合わせてみるため、
時には全く辛くないように見えるのだ。
しかし、苦難は絶対的なものであって、相対的なものではない。
だから人の経験をむやみに評価してはいけない。

大変そうな人にどう声をかけたらいいのか、分からないという理由で
「頑張って」と言ってしまうと、それを聞いた人はたまに
「いっそ何も言わないでほしい」と思うことがある。
慰めるために投げかけた言葉がむしろ相手には負担となる。
では、こういう時、私たちはどんな言葉を聞きたいのだろうか。
また、どんな言葉をかけてあげたらいいのだろうか。

長い間、共感 (empathy) について研究してきたブレネー・ブラウン (Brene
Brown) 教授は、共感と同情 (sympathy) を分けて考えようという。
同情は相手の立場をただ哀れに思うのに留まり、
何ら威力も力も発揮できないが、
共感は相手を慰め、もう一度立ち直らせるすごい力だという。

ブレネー博士は共感するためにまず取るべき四つの資質を提示する。
第一、相手の観点を取ること。
第二、彼らの観点を事実として受け入れること。
第三、判断しないこと。
第四、相手の感じる感情を認知し、その感情と話し合うこと。

一年ぐらいとても忙しく、疲れた毎日を送りながら
地獄の堂々巡りをしているような気分になったことがある。

今、自分が置かれている現実から逃れたいと切実に思った。

映画館にも行けず、本一冊も読めない

そういう苦しく息の詰まる状況の中、私は統制力を完全に失った状態だったのだ。

体力は尽き、精神的にも疲弊し、なぜ自分が生きているのかさえ分からない時だった。

ある夜、寝る前にユーチューブで外国のある牧師が説教中に

人はクリエイティブな動物であるため、いくら忙しくても

たまには映画を見たり、面白い本を読んだりしないといけないと言った。

私の顔も状況も知らないその人の一言が

まるで私の気持ちが全て分かっているかのように思えて、どれほど慰めとなったことか。

状況は変わらなかったが、誰かが共感してくれるということ自体が嬉しく

次の朝をより元気よく迎えることができた。

私たちはこういう共感技術を広く、そしてより上手く活用しなければならない。

厳しく険しい世の中を生きるお互いを

慰め、励まし、理解し合うために。

苦しみは問題が根本的に解決されない以上、取り除くことは難しい。

そういう時、私たちにできることが共感なのだ。

「君がとても大変な時間を過ごしているのに、

どう慰めればいいのか分からない。

でも、君の状況を私に話してくれてありがとう」

喜怒哀楽

英語を教えることの一番のメリットでもあり、難しい点は
教える相手の年齢が様々であることだ。
学校にもまだ入ってない幼い子どもから
中高生、大学生、主婦、社会人、そしてお年寄りまで
全年齢層の学生に出会う。

すでに学生時代を過ごしてきた私にとって
彼らの世界に共感し、話を合わせるのは
決して容易なことではない。
しかし、彼らとの対話を通して、
顔をしかめたり、笑ったり、
なだめたり、慰めたり、からかったりもしながら
彼らの人生を覗き見られるチャンスを得る。

非現実的な話を交わす子どもたち、

何でもおかしく面白い中高生たち、

夢と希望で満ちた大学生たち、

仕事と家庭で毎日が忙しい三十、四十代の人たち、

少し余裕ある生活を楽しんでいる五十代の人たち、

全ての荷を下ろして、思う存分人生を楽しむ六十代の人たち。

ある調査で 100 年近く生きてきたお年寄りの方々に

いつが一番幸せだったか聞いた。

驚くことにほとんどの人が 20 代ではなく、60 代と答えた。

歳を取り、身体機能は落ちるかもしれないが、

それよりもっと価値のあるものは確かにある。

彼らは六十代で人生の知恵と真の自由が得られたのではないだろう

か。

だからあの頃が一番幸せだったというのだろうか。

人生の知恵と自由が手に入る時期。

自由や知恵を得るために私たちは

たまに過去を振り返り、受けた傷や痛みを整理しなければならない。

私はたまに色んな年齢の人々に会いながら

過去の傷を整理できる機会を得る。

彼らと向き合い、自然と私を振り返るようになる。

私がどのように成長してきたのか、
思春期の時、私がどれだけ親を心配させたか、
家族を養うために父がどれだけ汗を流したか、
また、今後、私はどのような人生を歩むのか・・・。
彼らを通して私の人生を眺める。
喜．怒．哀．楽．

"I don't know what to say.
But I am so glad you told me."

-empathy

「君になんと言っていいか分からない。
でも、私に話してくれてありがとう。」

- 共感能力

□ この時代に勝ち抜くために最も必要な競争力は何？

□ 私の共感能力はどのレベル？私が人に共感してあげた経験は？

□ これからどんな人生を歩みたい？

第2幕

現在の幸せに気づく

第2幕1章

働く喜び

英語に対して色んな誤解と真実がある。

その一つが難しい言語である英語を

簡単な言語のように見せかけることだ。

英語は終わりのない作業だ。

だから征服しようとしないで、楽しめばいい。

それが英語の真実である。

人生はタイミング！

英語を教えることより退屈な仕事が他にあるだろうか。
常に思っていた。
ただ話して聞く日常がつまらないように見えた。
そして、いくら頭のいい人でもおかしな発音をし、間違った文法で話すと
一瞬でバカにされるのが嫌だった。
だから大学生、または社会に出て間もない頃、
英語を教えてくれと頼まれる度に私は逃げた。

英語は日本語とだいぶ違うため、日本人が英語を学ぶのは
他の国の人に比べ簡単ではない。
言語学者によると、一つの言語が上達するには3000時間を
費やさなければならないという。
つまり、英語をスムーズに話せるようになるには3000時間以上かか
ることになる。

英語が上手になるには語学研修に行ってくるか
国際学校に通わない以上、タイミングを上手く合わせないといけない。
つまり、言語は認知発達に深く関わりがあるため、
子どもの成長する時期に合わせて
段階別に英語を教えることが重要だ。

効果的な英語学習には
発音と文法、語彙、そしてスピーキングのタイミングが重要である。
このタイミングに合わせて勉強すると効果的だが、
このタイミングから外れてしまうと、効果が落ち、非常に消耗的に
なってしまう。

拍車を加え、英語を学ぶべき最適な時期は
小学４年生から高校１年生までだ。
思春期がちょうど、英語学習のための認知能力が
発達し始める時期だからである。

この時、運よく良い英語教師に出会い、良い教育を受ければ、基礎を
固めることができ、
積み重ね続けながら実力を上げることができる。
しかし、ほとんどの場合、この時期に反抗期が訪れ、
良い英語教師に出会えず、タイミングを逃す。

だから大学に行って、社会に出て、家庭を築いた後、
英語を学べる場所がないか探し回る。
しかし、大人になってからでは TOEIC や TOEFL のようなテストに
合わせた授業が主となって、
基礎から英語をきちんと学ぶのは簡単ではない。
そして、時間も割けない場合が多い。

幼い頃から間違った方法で英語を勉強してきた人の中には
「英語嫌い」となって、大人になっても英語を避ける人々もいる。
でも、子どもの教育のために再び英語と向き合うことになる。
英語の方からやってくる。

英語を教えるのだけは死んでも嫌だった私にも英語はやって来た。
大学院に通いながら偶然始めたボランティア活動をきっかけに今も
英語を教えている。
こうして、英語のブーメランは続く。
本当に、フードチェーンの連鎖のように。

征服とは、楽しみ続けること

英語は、非常に難しい言語だ。
少なくとも私にはそうだった。
発音から文の構造、そして表現の方法まで
何一つ易しい部分がなかった。
ところが、人々は英語を2、3ヵ月で
身に付けらえるかのように惑わす。
それはありえない。絶対に。

英語はドイツ語と同じくゲルマン語から派生し、
ラテン語やギリシャ語が合わさった由緒ある言語だ。
だからドイツ人は英語がすぐできる。
英語はキリスト教文化を背景とする言語であり、
食事・呼称・挨拶など、言語だけでなく生活文化までも
アジアとは程遠い。

だから色んな文化に対して寛容な気持ちを持っていなければ
英語はすぐ弾き飛ばされてしまう。

でも、こんなにも難しく、慣れない英語を知ると
上達する喜びも一入である。
英語のおかげで職が得られ、より高い年収をもらい、
海外旅行が自由にできるようになるという話ではない。
たくさんの人々がそういうきっかけで英語を始めるけれど、
英語の本当の魅力は知恵を得て、人に対してより人格的に接することが
できるようになり
批判的な思考が発達し、色んな文化が理解でき、
人類に向けた人情味が感じられるようになることである。

英語には終わりがない。
毎日四つの英単語が消え、七つ覚えるという。
征服できないということだ。
だからこそ、ただ楽しまなければならない。
楽しみ始めると不思議さ、驚き、温かさ、快感、喜悦のような
喜びがやってくる。

遊牧民の人生のコツ、オープンマインド

英語を勉強し直すと誓った人や
今も一生懸命勉強している人に
英語の勉強に役立ちそうな、
肝に銘じておくと良い三つのキーワードを教えよう。
それは、多様性 (diversity)、包容力 (embracement)、ノマド (nomad) である。

多様性はすなわち、人種、文化、世代を意味する。
この多様性の対象を垂直的に捉えず、水平的に捉えられれば、
もっと楽しく生きられるようになるだろう。

包容力は多様性と急変を意味する。
押し寄せてくる多様化と急激な変化に慌てず、
包容するために先に近づいてみよう。

遊牧民族という意味のノマドは、遊牧民の人生の特徴を身に付ければ
急激な変化に流されず、上手く生きられるようになることを意味する。

遊牧民の人生の特徴とは、
簡単さ (lightness)、携帯性 (portability)、適応性 (adaptability) だ。
時代的変化を受け入れ、賢く対処するためには
必ず必要な心掛けだ。

この三つのキーワードを覚えておくと、今日をより上手く理解できる
だろう。
そして、英語はこの時代が求める三つのキーワードを
簡単に身に付けられるよう、助けてくれる。

直接活用しなくとも、英語に対して心を開くだけで
私たちが生きる世界を受け入れ、同時代の人々と一緒にいることが
感じられ、喜びとなるはずだ。

路上の全てが先生

英語を教え始めて、この仕事じゃなければ会えない
色んな人々に出会う。しかも、結構長い時間を共にしながら。

色んな年齢層の学生たち、子どもたちのご両親、社会人や主婦、大学生、
そして、企業の役員、孫の自慢をするお年寄りまで
たくさんの人に会いながら彼らに英語でしゃべらせ、文を読み聞かせ
ながら感じたことは、
みんなが各自「独特」で「多様」だということだ。
完璧に同じパターンを持っている人はいない。
こうして色んな人たちを把握し、理解するまでには
たくさんの手間と時間がかかる。これは英語を教えることにおいて
非常に面倒なことでありながらも、最も必要で重要な部分だ。
学生たちが教師に対して信頼を持てるようにすることが教育において
最も効果的である。
そのためには彼らを先に知り、理解しなければならない。

人に接することはおそらくほとんど同じなはずだ。
学生を理解できれば、より上手く教えられ、
彼らに期待する気持ちも持てる。

この過程で一番得をするのは私だ。
この過程で私の人格と考えが成長するのが感じられる。
人をより理解し、共感する気持ちを持ち、
何よりも色んな人から受ける心の傷も
笑い飛ばす知恵を身に付けることができる。

そして、出会う全ての人々が
私を育て、成長させる
真の師匠であることに気づく。

The English language is
nobody's special property.
It is the property of the imagination.

-Derek Walcott

英語は誰のものでもない。
英語は想像の所有物だ。

- デレック・ウォルコット -

□ 今、私の状況に合わせてやっていることはなにか？

□ 私の仕事について私だけが知っているのは何か？

□ 私は何に対して、どのように心を開いているか？

□ 私を成長させるものには何があるか？

第2幕2章

夢を探す喜び

幼い頃、私たちはみんな夢があった。

「将来、何になりたい？」

何とでも答えられた。

でも、歳を取り、現実にぶつかりながら

私たちの夢は遠くなっていく。

しかし、勇気を振り絞って

しまっておいた夢を引き出してみよう。

昔の夢は過ぎて行ったとしても

新しい夢ができるかもしれない。

失った夢を探して

企業で行う英語講義では、お互い話し合う会話授業が一番人気だ。
生きていて英語で話す会話以上に素直になれる時間が他にあるだろうか。
話そうとする人はたくさんいるけれど、聞こうとする人は足りなさすぎる世の中だ。

だから私たちはもやもやした気持ちを晴らし、問題を解決するために
お金を払って、専門のカウンセラーを探す。
カウンセリングが問題を解決してくれたりはしないけれど、
二つのメリットがある。
専門家は秘密を保障するからより素直になれること。
そして、一方的に話をきちんと聞いてくれること。
正直な会話から専門のカウンセラーはコアな質問を引き出す。
そして、その質問に答える過程で、自らを振り返り、解決策を見つける。

だから私は英会話授業を
一石二鳥になるよう活用する。
社会で話題となっている記事を読んだ後、人々の意見を聞き、答えて
いると
英語の実力向上だけでなく、個人的な考えや経験が思い浮かび、
自分を振り返るきっかけとなる。

普段は考えもしなかった個人的な質問を英語でされ、
その質問に深く考えられる時間を持つことは幸運である。
カウンセリングを受けずとも
隠された自我を再び見つけられる時間を
いつまた持てるだろうか。
英語で話してみると、より真剣に、そして素直になれて
心の荷物を少しでも下せるようになる。

会話授業に参加した人々はお互いの意見を話し合い、アドバイスを惜
しまない。
こうして、英語は授業に参加する全ての人々を
素直にさせる力があるから
私は「自分を振り返させる貴重なカウンセリングの時間」だと
英会話授業を定義する。

授業の中で最も記憶に残るテーマは「夢」だった。
私は彼らに英語で問う。

「今日のテーマは夢です。あなたは夢を叶えましたか？
それともまだ夢に向かっている途中ですか？」

大人に夢を聞くとみんな慌てる。
みんな、夢があった頃があったかすら確信できない表情だ。
ある人は嬉しそうに自分の夢を告白することもあるけれど、
ほとんどの人はやりたい趣味ぐらいで終わらせる。
そして、生計のために昔持っていた夢を諦めたと、結論付ける。

家族の豊な生活のために二つの仕事を掛け持ちしている人も少なくない。
週末もなしに仕事をしている人々を見ていると、その真面目さに驚く。
家族のために一生懸命働くことより尊いことがあるだろうか。
しかし、それでも父や母である前に、夫や妻である前に、
一人の人間として自分の夢に対する熱望はあったはずだ。

人生のほとんどを職場で過ごす。
しかし、英語を通じて出会う人々が自分の仕事を楽しめず、
昔の夢を恋しく思っているのを見ると、悲しすぎる。

アメリカの「フォーブス (Forbes)」誌の調査によると
アメリカ人の 46% だけが現在の仕事に満足しているという。
どんな要素が仕事を満足させるかについての調査では

59%が「仕事に対する興味」と答え、
60%近くが「職場で一緒に働く人々」と答えた。

満足しない要素としては「低賃金」、「制限的な成長」、
「仕事に対する興味不足」、「職場の管理能力の不足」、
「上司のサポート不足」、「意味ある事に対する賞与未支給」、
そして「仕事と生活の不均衡」という。

しかし、上記の要素全てを満足させることはできない。
全て会社が主導権を持っており、
社員は責任をもって会社の決定や政策に従わなければならない。
自分が統制できないことから人生の満足や幸せを求めるなら
仕方なく多くのリスクや負担を抱えることとなる。
望むがままの人生を生きるためには統制できる自分の範囲を作らなけ
ればならない。
そのためには自分だけの夢を持っていなければならない。
与えられたことに最善を尽くしつつ、主導権が持てる
自分だけの夢があってこそ、自由になれるのだ。

英会話授業で沈黙を破り、話し合いながら
昔持っていた眩しい夢を再び蘇らせる。
そして、もう一度力を出して、夢の可能性を考えてみる。
そして、現在の仕事にも意味を与え、目標を達成できるように助け、

今、その場で幸せになれるように授業を続けていく。
成功した人々のインタビューではたまに
生計のせいでやりたいことができずにいるが、
どうしたらいいのかとアドバイスを求める質問が出てくる。
すると、ほとんどが夢は諦めるなと答える。
これは今の仕事をすぐやめて
やりたいことをやれという意味ではない。

彼らはこう答える。
今やっていることをすぐ辞められないなら、
やりたいことに対する計画を一つずつ立てて行けと。
そして、実践できることを一つずつやっていけと。
本当に求めることは全宇宙が助けてくれる。
歳を取るほど、力は弱まり、余生は短くなる。
だから、今すぐ計画を立てろ。

そして、今やっていることに感謝しろという言葉も忘れない。
そうすると、今やっている仕事が夢を邪魔するのではなく、
心の奥深くに閉じこもっていた夢を
再び引き出すように手助けしてくれる
尊いものだと信じられるようになるだろう。

希望は私たちを引っ張っていく。

希望を失うことは人生の意味を失うことだ。

つまり、人生を失うことだ。

年齢に関わらず、私たちはみんな夢を持って生きなければならない。

夢を忘れたならば、今もう一度新しく始めよう。

主体的な人生が作る人類の夢

親になると、全ては子ども中心に回る。
切りのない犠牲と愛、そして忍耐が必要だ。
子どもの前では辛くても顔に出せない。
でも、英会話授業ではより正直になる。

日常生活で一番ストレスなのは何か
主婦に聞いてみると、口を揃えて意外な答えをする。
「育児！」

子どもたちがある程度育つと、
主婦たちは再び仕事を探す。普通、五十代で仕事を探す人が多い。
子どもを持つ社会人に英語を教えていると、たまに週末婚の夫婦に会う。
彼らに「週末に行き来して大変ですね」と

慰めの言葉をかけると、こんな返事が返ってくる。
「はい？何言ってるんですか？
週末婚の方が楽でいいですよ？」
家族の面倒を見て、一緒に暮らすことが
どれほど大変で難しいことなのかを暗示する言葉だ。

ある社会人の女性は昔から「離婚したくても君たちのせいで
できずに生きてきた」という母の言葉が一番聞きたくなかったらしい。
しかし、実際に結婚して子どもを産み、親になってみると
子どもが愛しく好きで、自ら犠牲を選ぶようになるという。
子どもがいること自体が幸せで
全てを差し置いてでも子どもといる時間を選ぶのは
犠牲ではなく、報酬ということだ。
家族のために犠牲にするのではなく、自ら望んで
その犠牲を「選択」するという言葉に共感した。

最近、ほとんどの先進国が少子化問題で悩んでいる。
このまま何百年経つとなくなる国の懸念もあるという調査結果も出て
いる。

しかし、米国のコンサルティング会社の調査によると、ミレニアル
(millennials) 世代はどの世代よりも結婚を望むという。

すなわち、結婚がいやで避けるのではなく、
楽に生きられないことを恐れているのだ。

どんなに収入が多くなっても、楽しめるものが多すぎて
心が満たされないという現実と
結婚適齢期になると結婚しなければならず
結婚すると、子どもを産まなければならないという社会的通念が破られ
一人で、または子どもがいなくても変に思われない雰囲気が
生き方をより多様化させた。

しかし、本当は結婚もして、子どもも欲しいけど
豊かに生きられなくなることを恐れ、選んだ道が
果たして私たちの人生を豊かで自由に、そして幸せにできるのだろうか。

与えられた環境と条件に合わせて生きるのではなく、
先に人生の価値を見つけ、自ら環境と条件を合わすという意志で
毎日を生きろと、この時代の若者たちを励ましたい。
恐れて諦めず、
自分の存在意義を探し、
主導的な人生を生きられるように・・・。

水やりは一日も欠かしてはいけない

毎朝、同じ時間に起きて、食事をして、出勤の支度をすると、
日常が始まる。そして、毎日繰り返される一日を終え、家に帰る。
この疲れた体を率いて家までたどり着けるだろうかと心配にもなるが、
不思議にも毎日無事、家に着く。
次の日になると、また同じ一日が繰り返される。

私は同じことを繰り返すことを最も避けている。
英語を教えるときも同じテキストと授業を全てのクラスにそのまま適
用することがいやで、悩んだ末、色んなプログラムを開発した。
面倒でも色んな教育プログラムで英語を教えると決めたのだ。

毎日、同じ日常が繰り返されることは退屈なだけでなく、
発展のない生活に感じられ、たまに私を疲れさせた。
みんなは昇進や賞与、年収アップなどなど
いいことばかりなのに、私だけ、その場に立ち止まっているようだった。
焦りもあって、このままじっとしていてはいけない気がした。
そんなある日、授業のために英語時事のテキストを探していた時、
成長過程は見えないという文章に出会った。

土の中に埋まっている種が土から出て芽が生えるまで、
私たちはどんな変化も見ることができない。
しかし、水やりは一日も欠かしてはいけない。
繰り返される水やりを通して、ある日小さな芽が出て、
そして花が咲くのを見ることができる。

重要なのは水やりは続けなければならないということだ。
これは、やるべきことを黙々とし続けるという意味である。
変化が目に見えなくても真面目に日常を生きていかなければならない。

英語も同じだ。実力が伸びるのは目に見えない。
全く伸びていないように見えても、ずっと勉強していると
いつの間にか発展している。だから少し退屈でも
休まず水やりを続けなければならない。

振り返ってみると、退屈で辛くても私は水やりを欠かさなかった。
何の発展もないように見える私の人生を
不安な気持ちのまま耐えた。
そうして8年間やり続け、9年目からは驚くことに
洞察力ができ、自信がついた。
これはその時間を過ごしてきた人だけが分かる。

一つの分野の専門家になるには、1万時間を費やさなければならない
という。
一日7時間働き、7〜8年経つと1万時間となる。

私たちは私たちの日常を生き続ける。
そして、この日常を生き続けるためには
たまに周辺を意識しない方がいいときもある。
花は揺るがない信頼と共に
欠かさない毎日の水やりで咲く。

幸せの科学、魂が通じる人

私たちの共通の夢は幸せだ。

「幸せの科学」は、私たちが遺伝子は変えられなくとも

見える姿は変えられるのと同様に、

また、努力すれば運動ができるようになるのと同様に、

訓練すればより幸せになれるという。

私たちがどんな思いで、どのように実践するかによって

幸せは調整できるというのが「幸せの科学」である。

人間は幸せの三つの条件の中で常に悩み、

これを得るために努力し続ける。

その三つは「健康」、「お金」、そして「関係」だ。

幸せになるためには健康とお金は必須だろうが、

幸せを完成させるのは、きっと関係だろう。
そして、この関係の中には「友だち」という存在が含まれている。

友だちと知り合いは何が違うだろうか。
何がもっと大切な関係で、幸せに大きく寄与するだろうか。
英語の授業をしながら友だちと知り合いの定義について話し合った。

友だちは温かい。
友だちは古い関係だ。
友だちは大変なときに駆けつけて来て助けてくれる。

なら、知り合いは？
知り合いは付き合いが短くても構わない。
知り合いはギブアンドテイク (Give and Take) がはっきりしている。
知り合いとの会話は短い。

では、どちらがもっと人生に役立つだろうか。
しばらく沈黙が流れる。そして、みんな知り合いと答える。
知り合いが多いほど、実質的な助けをたくさんもらえるというのだ。

しかし、「誰が私をもっと幸せにしますか？」という質問には
みんな、迷わず「友だち」と答える。
友だちと知り合いの定義で最も大きい差は
「親密感」であることが分かる。
人と人の間で親密感を作り出す幸せの科学は正に
「素直さ＋真実さ」である。

知り合いとは違って、友だちが自分を幸せにする理由は
親密感を感じるからである。
私はこの親密感を魂が通じる関係だと定義したい。
素直さと真実さはこういう関係でつながる。
魂が通じる関係になるにはたくさん時間がかかったり
歳が近い必要はない。条件なし、何も考えず、ありのままの姿で
魂が通じる友だちがいるなら、人生の幸せの半分は成し遂げたような
ものだ。
だから、私は友だちとは、年齢関係なく
魂が通じる関係だと定義する。

私たちはたくさんの人々に会いながら生きる。
良い友だちが一人でもいれば、人生はもっと幸せだろう。
私たちみんなの共通した夢は幸せで、
幸せの半分は誰であろうと
魂の通じる人、すなわち「友だち」を持つことだ。

"I dream my painting
And I paint my dream."

-Vincent Van Gogh

「私は絵を描くことを夢見る。
そして、私の夢を描く」

- フィンセント・ファン・ゴッホ -

□ 幼い頃の私の将来の夢は何だったのか？

□ 今、私はどんな夢を見ているのか？

□ 私は未来のために水やりを続けているのか？

□ 幸せになるために私はどんな努力をしているのか？

第2幕3章

成功を知っていく喜び

私たちはみんな成功したがる。

しかし、もし本当に成功したいなら

自分だけの定義をまず下さなければならない。

一度きりの人生において

本当に成功した人生だったと

言える人生はどんな人生なのだろうか。

生きるために

一時、私は「キャリアウーマン」として「格好よく」働き、
「余裕ある」人生を求めた。
ここで重要なのは「格好よく」と「余裕ある」だ。
誰もが大変な仕事をすることを夢見たりはしないだろう。
私もそうだった。私がやりたいことをして、お金に囚われない
素敵な人生を求めた。

しかし、現実は私が求めてきた余裕とは程遠かった。
社会人になって間もない頃、金銭的に父に頼ることができ、
そこまで必死には働いていなかった。
だから「格好よく」生きることができなかった。
人生を知り、ある程度経験を積みながら専門家になった頃には
自分以外は頼るところもなくなり、
一生懸命働いても心に余裕がなかった。

今まで休んだことはほとんどないけれど、
状況によって仕事に対する私の態度は変わった。
拠りどころのある状態で働くことと
ただ私だけに頼って働くことは全く違うことだった。
また、会社員とフリーランサーの生活は大きく違った。

会社に勤めていた時は会社という枠の中で毎月保障される給料をもらい、
生活が安定していたが、そこまで挑戦的ではなかった。
フリーランサーになって自由は得たものの、
変動の激しい収入の不安を数年間耐えなければならなかった。
現在よりマシな人生を生きるために休む暇もなく悩まなければならな
かった。
そして、こんな生き方でも大丈夫なふりをし、自分を慰め、
毎晩、平穏に眠ろうと努めなければならなかった。

授業中、ある会社員が私にこういった。
「フリーランサーはただの「乙」じゃなくて、乙の中でも「乙」でしょ」
乙の中でも乙の私を守り、
こんな状況でも花を咲かせるために足掻く一日を終えると
眠る前、死ねずに生きていることに気づく。
不安に耐え、挑戦と悩みを繰り返しながら
労働がなぜ神聖だというのか、
どうしたら一つの分野でベテランになれるのか、
専門家になるには何をすべきなのか答えを求めていた。

今、私が歩むこの道は大変で辛くても
生きるため、守るべき家族がいるため、
簡単に諦めず、ただ前だけを見て走るようになった。
より共感するようになり、良いアイデアが沸き、
謙遜するようになっていった。
生きるために。

私が夢見てきた余裕のあるキャリアウーマンはどこにもなかった。
しかし、有名な映画俳優も、国会議員も、首相も
「生きるために」始めたはずだ。
仕方なく諦められず、乙の中の「乙」として一生懸命生きていると
安定して成功して、そして求めていた世界に出られたはずだ。

そして、世界が見え始めようとしたとき、私たちは
生きるためにここまできたあの頃を忘れず
社会のため、国のため、そして人類のために
第2幕の人生を開かなければならない。

成功の源は数えられない

成功する人々の持つ共通の習慣には色々ある。
毎朝ボクシングをしたり、幅広い分野の本を読んだり・・・。
そうした習慣の中で特に共感し、学びたいのが
人を「褒め」、「感謝」する習慣だ。

誰かが大成功すると、周囲の人々は自然と妬ましく思う。
激しい競争の中で生きてきた人ほど、無意識のうちに
この世界の源泉は限られており、他の人の成功が
私を成功させる源を奪ったのだと思うからだ。

特に学生時代、競争して生きてきた子どもたちは
自分より上手な子がいてはいけなかったため、大人になっても
他人の良い成果より劣ることに対し、心理的不安を感じるようになる。

しかし、成功した人々は源泉に対して考えが違う。
源泉は数え切れないと思うため、他人と比較し、
私が使える源が減ったとは思わない。

むしろ彼らが成功したから、私もできるという希望を得て
彼らの成功を共に喜ぶ。そして、彼らの成功に
感謝の気持ちまで表したりする。

成功する人が周囲にいるなら、認めて
心から喜び、その状況に感謝してみよう。
そうすると、私の成功も急いでやってくるはずだ。
成功の源は数え切れないものである。

一番残る投資は頭に

私たちは生まれてすぐ衣食住を含め、教育など投資を受け始める。
CNNでは一人の子どもを17歳まで育てるのに22万3600ドルが
かかると報告した。日本円にすると2500万円の費用だ。
大学まで行かせるともっとお金がかかる。
一つの命が誕生すると、こうして親と子どもは投資を始める。
国は国のために、そして親は子どものために。

その命が育ち、経済力を持つと、再び自分に投資し始める。
服を買って美味しいもの食べて、好きな人と時間を過ごし、旅に出る。
そして、愛する人に出会うと、その人に一生を捧げる。

仕事と生活のバランスを求めるミレニアル世代はどれが最も残る投資
だと思うだろうか。
趣味のための投資？休みのための投資？それともマイホームを持つた
めの投資？

職場でちょうど係長になった時、
会社の先輩と久々に会い、話している際に
先輩が発した言葉が印象深く残っている。
服や車を買い、旅行に興味の多かったその頃、
その先輩はこうアドバイスした。
「頭に投資するのが一番残るよ」

その言葉を聞いた当時はそれがどういう意味か、
全く伝わってこなかった。
しかし、社会生活を長く続け、歳を取っていくうちに
その意味が分かってきた。

仕事ばかりしていると、これまで受けてきた教育のコンテンツが尽き
ていった。
忙しいことを言い訳に全く頭に入れようとしなかったせいで
源泉が段々なくなっていくことを感じたのだ。
どんなに儲かっても、新しい服を買って着て、海外旅行に行ったり、
携帯を2年に一回買い替えても成長の喜びは楽しめなかった。

頭に投資したときの利益というのは「成長の喜び」を意味する。
成長を通して感じる喜びと幸せだ。どれだけ長い旅を楽しみ、
高い服を着ても、またはブランド品のバックを持っていても
これに比べられない。

私にアドバイスしたその先輩は自分の信念通り務めていた会社をやめて
海外留学のために英語の勉強を始めた。
1年以上無職で過ごしながら、アメリカの大学院に入学する準備をした。
若いとはいえない年齢で無職の時期を耐えるのはどれほど不安だった
だろうか。
当時、英語のエッセイ作成を手伝ったけれど、今考えてみると、
先輩の投資に私も付き合っていたのだ。

彼は一年の浪人の後にアメリカMBA(専門経営大学院)課程に入学し、
卒業した後、韓国に行ってまた数年働いた。
そして、再び博士課程に挑戦した。海外に出る余裕がなかったので、
韓国で5年ぶりに学位を取った。

四十をとっくに過ぎたが、現在、韓国の国立大学で教授をしている。
教授になり、学生たちを指導して研究しながら、
一つの分野の専門家としてTVにも出演し、
諮問委員会でも活動し、社会の様々な分野で活躍している。
先日、その先輩に会ってみると、知的な人生に非常に満足してそうに
見えた。

私たちは蓄積して置いたもので生きていく。
頭の中にいっぱい詰め込み、一つずつ取り出して使う。
しかし、取り出して使うだけでは
いつの間にか尽きたときはどうしていいか分からなくなるだろう。

いくらお金と時間に余裕があっても
新しく気づくことがなければ、満足した人生は生きられない。

人生の質を求めるこの時代。
仕事以外の時間をどう使用するかについても考えなければならない。
私たちが求める満足できる人生とは、毎日新しいことを学びそれを
楽しめる人生ではないだろうか。

失敗を繰り返しても

数年前、久しぶりに会った高校の友だちがこう言った。
「幸せって本当たまに来るものだと思う。私たちはその幸せのために
毎日、普通の生活をしているんだろうね」

なんとなく分かるけど、認めたくなかった。
人生に負けているような気がして。
認めちゃえば、人生の前で私のプライドに傷がつきそうで。

だから毎日がただ週末だけを待つ生活にならないよう
生活や仕事の中で瞬間の喜びを探し、私を見つけようと努力する。
そうしていると、いつの間にか人生そのものが私の競争相手となって
しまった。
毎日の生活を楽しみ、人生と勝負して生きているようだった。
人生とまた競争するのだ。

人生は簡単ではない。

一生懸命生きているときも、人々は私を放っておいてはくれない。

また、私もたまに周りの人に心配をかけるときだってある。

私たちがお互いにもう少し寛大になればいいのに。

激しい競争の中で生きていると、お互いの弱点を見過ごすのは簡単ではない。

競争の中で学生時代を送ったせいで、

いつもいた「競争相手」がいないと不安になって、

無理やりにでも人生を相手に競争しようとするのではないだろうか。

だから、どうすれば今日も授業を通じて会う人々が

ジタバタ生きることなく、人生を傍観しながら寛大に生きられるように

手助けできるか悩む。もちろん、失敗する日もある。

しかし、だから人生には哲学が必要なのだ。

「成功は、熱意を失わず失敗から失敗へ進んでいく過程を含む」という

ウィンストン・チャーチル (Winston Churchill) の言葉を心掛け、

人生の喜びを伝えるために再び起き上がる。

失敗を繰り返しても

自分と毎日の発見が喜びとなり、人生の中に留まりますように・・・。

これこそが成功する人生を生きる過程で、

成功を知っていく喜びだ。

Success consists of going from failure
to failure without loss of enthusiasm.

-Winston Churchil

成功は、熱意を失わず
失敗から失敗へ進んでいく過程を含む。

- ウィンストン・チャーチル -

□ 成功した人を見たとき、どんな気持ちか？

□ 私の未来のために何を投資しているか？

□ 失敗を繰り返しても、熱意を失わず、進み続けられる
　私の哲学は何か？

第2幕4章

気づきの喜び

気づきは感動をくれる。

感動は奇跡を作る。

毎日奇跡が起きる人生を生きたいなら

毎日気づき、感動し、奇跡を起こそう。

今すぐ始めよう、サンキュー＆ソーリー

世の中に競争のない国なんてあるだろうか。
どの分野でも誰かに勝ち抜かなければ、
認めてもらえない。
たまに外国の受験について扱ったニュースや動画を見ると、
より良い未来のために一生懸命勉強する受験生たちの姿に驚かされる。
特にアジアがひどいという。

日本でも一部の人たちはそんな学生時代を送ってきただろう。
喜ぶべきか、悲しむべきか。
成績のために一生懸命勉強する子もいれば、
大会で優勝するために部活に励む子もいる。
時代が変わったというのにいつまでもこれは変わらない。

問題は、こんな激しい競争の中で生きていると
人を先に思いやる配慮が足りなくなるということだ。
特に最近、配慮や礼儀を知らない人が段々増えていっているように思える。
外国で「礼儀」と言って思い浮かぶ国は、紳士の国「イギリス」だ。
相変わらず、イギリスは紳士の国であり、礼儀をよく守る国として認められている。
では、なぜ彼らは紳士の国と呼ばれるのだろうか。
理由は簡単。「サンキュー (Thank you)」と「ソーリー (sorry)」を非常に良く使うからだ。

実際ぶつかっていなくても、ぶつかりそうになっただけで謝る。
おつりを受け取るとき、当たり前な状況であるにも関わらず、感謝を言う。
お店で水を注いでくれる店員さんにも笑顔で感謝の気持ちを伝える。
お互いの存在と必要を認め、苦労を常に意識し、
感謝する気持ちがあるからこそできるのだ。

出張でイギリス行きの飛行機に乗った時のことだ。
飛行機の中でトイレを利用しようとドアを押したが、開かない。
中に誰かいるのか、私の力が弱いのか分からず、もう一度ドアを押した。
すると、前にいた中年のイギリス人女性が笑って
「中に人いますよ」と私に言ってくれた。
続けて、私が「あ、ごめんなさい。今、トイレ並んでるんですか？」
と聞くと、彼女は「いいえ」と答えた。

すると、中年のイギリス人男性がトイレから出てきた。
先ほど声を掛けてくれた女性の夫だったのだ。
彼は私を見てにっこりと笑った。
すると、妻は夫と共に席に戻りながら、
笑って「サンキュー」と言った。

「サンキュー？何が？」席に戻ってずいぶん考えた後、ようやく理由が
分かった。
私が二人が通った後、トイレに入ったこと、
つまり、約１秒間待ったことに対する挨拶だった。

そこまで感謝する必要があるのだろうか。
しかし、あの一言が飛行機から降りるまでの間
どれほど私の心を温かくしたか・・・。
だから私も彼らにサンキューと言いたくなった。
このようにサンキューは別のサンキューを呼ぶ。

人間社会にだけ言語がある理由は共に生きていく人々と
疎通を図るためだ。だから人類が使用する言語には
文化と情緒があり、互いに配慮すべきマナーがある。
数学や英語の前に、
共に生きていく社会であることを教え、学ばなければならない。
より明るく、共存できる社会にするために今すぐ始めよう。
サンキュー、そしてソーリー。

関心と親切をくれ

家族と友だちが私に興味を示し、親切に接するのは当然だ。
しかし、出張先だったスウェーデンで家族と友だちを超えた
親切と関心を経験して、人生の生き甲斐を感じたことがあった。

スウェーデンで取引先と共に色んな大学を回り、仕事を終え、
ホテルに戻らなければならなかった。しかし、タクシーは呼びにくく
ホテルはさほど遠くなかったから、取引先の人はバスに乗っていくこ
とを提案してくれた。
乗り過ごすかもしれないという心配をその人に伝えると
彼はバスの運転手さんに降りる停留所に着いたら、
声を掛けてくれるよう頼むから心配するなと言った。

バスの運転手さんは運転で忙しいだろうに
私が降りるところを覚えられるのかと聞くと、

心配するなと、大声で言っておけば、他の乗客がその話を聞いて
代わりに言ってくれると確信に満ちた返事が戻ってきた。
私は信用できず、苦笑いして、自分でちゃんと降りると決めて
バスに乗った。が、まだ慣れてない街だったせいで、忘れていた。

すると、驚くことに乗客の一人が運転手さんを呼び、車を止め、
他の乗客が降りるところだと私に声をかけた。
私は驚いて、慌てて降りた。
そして、バスから降りてようやく取引先の関係者が私に言ったことが
冗談ではなかったことを実感した。

助けが必要な人は、いつ自分が助けられるべきか分からないときがある。
しかし、助られる能力を持った人は
　　　その人がいつ、どんな助けが必要か分かっている。
　　　　　　　助けとは、
　　　　　　　　　必要な人よりも手助けできる人が
　　　　　　　　　　　先に手を差し伸べるべきだと気づいた。

危うく老害になるとこだった

私は幼い頃、色んな国で学生時代を送り、
数年間、IT、金融分野のベンチャーを含む中小企業や大手企業など、
色んな会社で働き、事業もやってみた。
だから、それなりに色んな経験をして、色んな人たちに会ってみたと
自負する。
しかし、それは間違った信念だったと、気づかされた。

まず、色んな経験とは、同じぐらいの年齢の人々と似たような環境を
何回も経験したことをいうのではないと、気づいた。
こういう水平的な経験よりは垂直的な経験が先入観をなくし、
広い視野を持つためにはより重要だ。

会社に勤めながら、小さな事業をしてみたかった。
だから、父に投資を受け、むやみに小さなお店を出した。

会社から帰って、夜1時までお店で働き、
次の朝、また出勤する。ものすごく一生懸命生きていた記憶がある。
もちろん、体力的に耐えられなかった。
だから、会社に勤めながら商売をするのは無理だと気づき、
10ヵ月でお店をやめた。それでも、人生で一番勉強になった時期だった。

会社では似たような教育環境を経た人々と勤務環境を共有しながら
過ごしていたから、色んな経験ができる機会があまりなかった。
偉い人には課長や次長が代わりに報告し、
私は上司に報告するだけだったから、大して緊張したり
考える視野に変化を与えるきっかけがなかった。
しかし、事業は完全に違った。

私に全ての責任があり、全てを私が決めなければならない。
そして、何より毎日向き合うお客様が
子どもから中年、そしてお年寄りまで
色んな背景を持った人たちだということだ。
常に似たような環境の人たちばかり会ってきた私は
水平垂直的に色んな人に会いながら、慌て、苦しんだ。
良い人たちもいたけれど、
無理を言う客、ありえないことを要求してきたり、

悪口を叩く客など、毎日色んな人に会わなければならなかった。
もちろん、その中には私がミスを犯した場合も多かった。

小さい店だったが、会社に勤めているせいで
ほとんどをアルバイトに任せなければならず、在庫処理などをし、
取引先の人たちとも良い関係を保たなければならなかった。
管理、営業、マーケティングなど、色んなことをしてきたが、
何より人生を学ばせたのは様々なお客様たちだった。
顧客満足のために多様な年齢層の背景、文化を分析し、
彼らを理解し、分かり合えることは決して簡単ではなかった。
10か月間のこの厳しい訓練は、私の人生を丸ごと変えてしまった。

商売を始めて数ヶ月後に会った友だちがみんなして
「目つきが変わった。性格が変わった。何があった？」と
私の変化に驚いた。
その時、私はただこう答えた。
「副業は無理。副業なんてもう絶対ありえない」

商売をやめて再び会社生活だけに集中していた時、
垂直的な人に会う必要のない会社生活が
ずっと簡単で楽だと感じられた。
今はまた垂直な出会いを続ける英語講師の仕事をやっている。

幼稚園児から小中高生、大学生、社会人、主婦、そしてお年寄りまで
短くは6ヵ月、長くは8年もの時間を共に英語の勉強をする。

そして、こうして英語を教え、色んな人に会いながら
私は再び完全に違うことに気づいた。
事業をやめた後もものすごい先入観に取りつかれていたことだ。
そうとも知らず、私の考えが全て正しいかのように
生きていたことにショックを受けた。
過度な先入観は人を老害にするという。
危うく老害になるとこだった。

ある一つの分野で専門家になると、時間が経つほど
気楽で有益な人たちにだけ会ったりする。
だから、歳を取るほど老害になる確率が高くなるのかもしれない。
水平的には色んな人に会うが、垂直的な関係は貧しくなる。
視野が段々狭くなり、先入観ができ、
知らないうちに老害になっていくのだ。

先入観は自分を優越した存在に感じさせるから、

多くの人たちが放って置けない。

だから、権力を持っている人ほどそういった傾向があるのだ。

しかし、垂直的な関係の人たちに会って、私の先入観は粉々になった。

どれほどありがたいことやら。

もちろん、今も先入観を持っていないとは言えない。

しかし、少なくともこの事実を知ることができてよかった。

そう、危うく老害になるとこだった。

プライドアップ大作戦

大学院に通っていた頃、プロジェクトの発表時間に起きた出来事だ。
発表を聞き終わって、気になった部分をいくつかを質問した。
その後、お昼時間にその発表者が私のところにやってきて
どうしてあんなに質問したのかと、
攻撃されているようでとても不快だったと、問い詰めてきた。

私は、そのテーマについて本当に気になっていたことが多く、
本当に知りたくて質問しただけなのに
意外な反応にあまりにも驚いて
発表者になんと返事すればいいか悩んだ。
その後も発表者と私の関係は非常に気まずくなった。
そして、他の人が発表するときは質問を控えるようになった。

幼い頃、海外で学校に通っていた時、
同じくプロジェクトの発表授業が多かった。
しかし、当時、質問した時は発表者が後から私にやってきて
むしろ自分の課題に関心を持ってくれてありがとうと言ったことを思い出す。
どうしてこんなに反応が違うのだろうか。

ある番組で、授業中、質問が多い学生は
他の学生にどんなイメージで見られるかを企画したドキュメンタリーが放映された。
しかし、学問を探究する大学でさえも
学生が教授に質問すると、他の学生が嫌がる反応を見せた。
睨んで、「あいつ、なんであんなに出しゃばるの？」とひそひそ話した。

質問をしてはいけない大学の空気は探求力や想像力を殺し、
学生たちの考えを画一化することで、
その場では質問を考え出せない結果を生み出してしまったのだ。
世界人口の 0.2% に満たないものの、ノーベル賞の授賞者の 20% を占める
ユダヤ人はトーラー (Torah) と世界を質問によって学ぶことで有名だ。
宗教改革を起こしたマルティン・ルター (Martin Luther) も
「むやみに信じるのではなく、相次ぐ質問が重要だ」と言い、
信仰は質問から始まると強調した。
質問をしなければ、世を変えた宗教改革は起きなったであろう。

一方、ソクラテスは「省察しない人生は生きるに値しない」と言った。
省察しなければ、質問を投げかけない。
質問を投げかけないことは哲学を探究しないことだ。
つまり、質問と人生は繋がっている。
人文学でも会話の始まりと終わりは質問であると定義している。

質問は、私たちが意味ある人生を生きるためだけなく、
自分の存在意義と高い自尊心を持つためにも必ず必要だ。
自尊心は、自分自身に対する主観的な評価だ。
自分に対する良い評価を持つためには、幼い頃から与えられる
人格的待遇が重要だ。

人格的待遇とは何か。
やりたい通りできるように助けることではない。
終わりのない質問と答えを引き出してあげることだ。

年齢に関係なく、どう考えているかを聞き、意見に耳を傾け、
気持ちを分かち合うことがお互いの存在に対する人格的な待遇として
存在感を感じさせる活動なのだ。
自尊心を高める活動、
意味のある、幸せな人生を生きるための活動は
「質問し続けること」なのである。

努力した者だけ味わえる喜び

英語はそんなに早く伸びない。
英語だけでなく、全ての外国語は長い間休まずに
時間を費やしてようやく満足できる結果が出る。
だから意志と忍耐力が求められる。
少しの実力向上にもとても喜んでしまう。
特に、教師の立場では一人の学生を長い間教えられないため、
成長する姿を見て喜べる機会はそう多くない。
結果は期待できず、ただ今日一日頑張って教えるだけだ。
しかし、たまに3年か6年、または9年に渡り
私と英語を勉強し続ける子どもたちがいる。
こうして長い間努力してきた子どもたちが上達していく姿を見ると、
なんとも表現できない感動が押し寄せてくる。
教えることで成長が見られるということは、教師にとって大きな力で
あり、励ましとなる。

だから、幼い子どもたちの英語の実力が伸びると、
私はすぐその事実を親に知らせる。
しかし、両親の反応は思ったものと違う。
自分の子どもなのだから、喜ぶだろうという予想とは裏腹に、
そこまで嬉しそうにない反応を見せる。
ほとんどが「あ、そうですか？」で終わる。

「それで終わり？もっと喜ぶと思ったのに・・・。」
もう少し反応が返ってくることを待っていたのに
予想していた反応は返ってこない。
そして、何度もこれを経験した私は気づいた。
努力して得られた結果を見て喜べるのは、
努力した本人だけであることに。

The two important days in your life are
the day You are born and
the day you find out why.

-Mark Twain

あなたの人生で大切な2日は、
あなたが生まれた日と
あなたがなぜ生まれてきたかを見つける日だ。

- マーク・トウェイン -

□ 普段、他人にどんな親切を施しているか？

□ 自尊心を高めるためにどんなことをしているか？

□ 老害にならないようにするためにはどんな方法があるか？

第3幕 ———————————————————————

——————————————— 未来の幸せを描く

人生の知恵に気づく喜び

英語を通じて見る世界と
日本語を通じて見る世界は違う。
異なるからこそ、英語は日本語を助けきることができ、
日本語は英語を助けることができる。
私は今、日本に住んでいるから日本語を使い
人生をより知っていくために英語に助けを得る。

隣のおばさんが作った優しい世界

イギリスに行った時、父が間違った情報を信じたせいで
日本人が全く住んでいない地域に住むことになった。
あの頃はインターネットや携帯もなかった時代だったから、十分あり
得ることだった。
そのおかげで母は毎日寂しさで泣いた。

そんな時、グローリアおばさんがうちの家にやって来た。
大学生と高校生のお子さんがいたグローリアさんは
すぐ隣に住んでいたイギリス人のお隣さんだった。
グローリアさんは助けが必要なときはいつでも来てと言った。
そして、細かいことから公的な仕事まで手伝ってくれた。

家に修理が必要なときはいつもグローリアさんの家に行った。
すると、修理工を呼んで、修理が終わるまで見守ってくれた。

目が小さいとかわれたかうという理由で兄がクラスメートを殴り、
母が学校に呼ばれて行った時もグローリアさんを訪ねて行った。
すると、彼女は母と同行して先生と相談してくれた。
私の誕生日パーティの時もイギリスではどんなパーティをするのか
分からなかったからグローリアさんに尋ねると、
彼女は私の代わりにゲームを進行してくれたり、歌を歌ったりして
誕生日パーティの進行役を買って出てくれた。

グローリアさんもよくうちの家に来た。
クリスマスパーティに招待するため、
庭で花火をするから一緒に遊ぼうと、
ピクニックに行くから一緒に行こうと。

グローリアさんと一緒に過ごした時間の中で一番記憶に残っているのは
イースターや新年になると、自分の色んな親戚の家に
挨拶をしに私も連れて行ってくれたことだ。
親戚たちに紹介し、彼らが作った美味しい料理やプレゼントもいただいた。
それほど私のことを可愛がってくれていたのだろう。

今振り返ってみると、カルチャーショックに襲われる。
ただ隣の家に住む外国人の子どもを親戚の家に連れていって挨拶とは。
あの時は幼く、気づかなかったけれど、グローリアさんが施した偏見
のない親切や愛情を考えると、今でも心が温まる。

人間関係がどんどん薄れていく昨今、グローリアさんを思い出すと
家族を超えて隣人を愛し、関心を持つ行為が
この世の中をより温かい世界にできると確信する。
そして、これは私たちでもできることだ。

人種や文化、そして世代で分かれる今の世の中を
より温かく、幸せな世界にするために
カルチャーショックを与えてみよう。

価値をどこに置くか

海外で中学2年生になった時、
一学期の間、特別授業として料理の授業を選択したことがある。
しかし、料理科学室に集まった生徒たちが30人以上となり、
授業をするには教室があまりにも狭かった。
料理科学の先生は数週間授業した後、到底無理だと言って、
自分の家で授業を行うと生徒たちに伝えた。

その当時、学校は山のてっぺんにあったが、
ちょうど先生も学校の近くにある夜景のきれいな家に住んでいた。
学校から近かったけれど、この大勢の生徒を家に連れていき、
料理の授業を行うとは信じられなかった。
まさか30人近くの学生が家に全員入るというのか。
しかし、本当に次の授業からは先生の家に移動すると先生が伝えた。

彼女の家に行くと、そこには驚きの風景が待っていた。
リビングから部屋まで続く廊下の先が見えなかったのだ。
そして、リビングと書斎、応接室が広すぎて規模の見当がつかなかった。

キッチンは一つではなく、
一個のキッチンのサイズが普通の家一つの規模だった。
車はロールスロイスで、運転手だけでなく、家政婦も三人もいた。
先生はキッチン二ヶ所を生徒たちに開放し、料理の授業を進めた。

当時はただ素敵な家が見られた良い思い出として残った。
しかし、大人になってみると、あんなにお金持ちの「奥様」が
ブランド品のかばんや服、海外旅行などで贅沢な生活を満喫するのではなく、
お金に囚われず、自分の持った料理の才能を学校に捧げたこと、
そして、喜んで自分の家とキッチンに大勢の学生たちを招待し、
一学期の間、授業をしてくれたことがすごいことだということに気づいた。

人生の目標がお金になってしまった今、
持った者たちがいわゆる「パワハラ」をし、
贅沢な生活をするのが当たり前となった社会の雰囲気を感じる度、
私はこの料理科学の先生を思い出す。
当時は家の規模に驚いただけだった経験が
増幅され、より大きな驚きと感動となって押し寄せてくる。

この料理授業は、大人になって社会人として生きている私に
新鮮な衝撃を与え、再び私を成長させる。
この時代が押し付けてくる価値観に無条件に従わないように。
人生の真の意味が何なのか、もう一度振り返ってみよう。

信念がこもった私だけの言葉

国、都市、そして町ごとにそれぞれの雰囲気と色がある。
それは過去と現在、つまり、過ぎてきた時間が合わさって作られた
そこにしかない固有なアイデンティティだ。

人は色よりは単語で、
今まで生きてきた人生と求める未来の方向を示すことができる。
中学校を卒業し、高校生になったばかりの子どもたちに
これまで生きてきた人生を英単語一つで表現して
その理由を説明するように言ってみた。
すると非常に様々な単語がどっと出てきた。

一人は「マラソン」、一人は「配慮」
もう一人は「希望」と答えた。

「マラソン」と答えた子は、今まで全ての感情を抑え、
目標に向けてひたすら勉強だけしてきたことだけでも大変だったのに
これから先もずっと走り続けないといけないからと説明した。
「配慮」と答えた子は、小学生の頃から
自分よりも人を配慮する気持ちで生きてきたことが大変だったと。
これからは人を意識せず、自分をより配慮し、生きたいと言った。
一方、「希望」と答えた子は、これまでやりたかったことは全部成し遂げ、
過去も希望的だったから、これからも希望を持っていきていくと答え
た。

子どもたちの話を聞き、ゆっくり私の人生を振り返ると、ある単語が
思い浮かんだ。
それは「砂利」だ。この表現を聞いた家族や友人たちはみんな笑った。
しかし、それなりの意味がこもっている。

私は中学卒業前、国籍の違う学校を７ヵ所も通わなければならなかった。
職場もあっちこっち移動し、あれこれ揉みくちゃにされる毎日だった。
そして、その過程で身も心も嵐のような時期を過ごした。
しかし、この砂利のような毎日が肥料となって
知恵と自由を楽しむ意味のある人生になっている。

メールやチャットがこの時代に初めて紹介されて以来、
たくさんの人々がオンライン通信の魅力にハマった。
その時、メールを素材としたラブコメディ映画、

トム・ハンクス (Tom Hanks) とマック・ライアン (Meg Ryan) 主演の
「ユー・ガット・メール (You've Got Mail)」が公開された。

この映画でマックは顔も見たことのないトムと
チャットやメールで話し合い、お互いに好感を持ち始める。
そして、その会話の中でマックは「フィデリティ」という単語が
好きだと告白する。

フィデリティ (Fidelity)：
1. 人や機関に忠実。
2. 夫や妻に忠実。

顔も見ずに、好きな単語でその人のアイデンティティが推察できる。
そして、その単語に似たアイデンティティを持った人に会いたいという
メッセージだと推測できる。

私が一番好きな英単語は「インテグリティ」である。

インテグリティ (Integrity)：
真実、素直で自分の道徳性または原則を上手く守ること。

人の目を意識せず、堂々と素直に生きていくことが
賢く自由な人生だと思ったからである。
このように、文章を読んでいて好きな単語が出てくると
まるで自分自身を見つけたかのように嬉しく、幸せになる。
そして、心に刻み、その単語が持っている意味通りに生きようと努力
する。
時にその単語が人生の目標となり、成功の尺度にもなる。

過ぎ去った過去と私が描く未来の人生単語を
人生の中に少しずつ取り入れてみよう。
自分の単語に込められた信念を守って生きられたら
それこそが成功した人生ではないだろうか。

笑っちゃおう

成長過程で主にイギリス文化圏の影響を多く受けた私は
知らない人と目が合うと、唇をそっとあげ、形式的にでも
笑顔を見せる欧米の文化に慣れている。

こちらに来てそのまま振舞うと、
周りの人々に「大人げないように見えるから笑うな」と言われた。
最初はそれがどういう意味か、なぜ笑っちゃいけないのか
分からなかったけれど、何度か指摘されるうちに控えるようになった。

しかし、今も私は人に接するときはよく笑う。
挨拶するときはにっこりと笑い、私が教えている子どもと目が合ったり
店員さんにコーヒーを注文するときも笑う。おつりも笑顔で受け取る。
そして、笑えることがあれば、大きく笑う。

そういうとき、大声で笑うからと何度も嫌味も言われた。
しかし、最近の人々は段々笑顔を失っていくように感じられる。
競争が激しく、厳しい現実の中、一生懸命働いているうちに
軽くて弱そうに見えると思うからなのだろうか。

人は本来目が合ったら笑うのが自然だ。
二、三歳にしかなってない、言葉が話せない子どもと目が合ったとき、
先ににっこりと笑うと、子どもも一緒に笑うか、
両目を大きく開け、ずっと見つめながら好意を示す。
これだけ見ても笑顔は人間の本能ともいえる。

笑顔はスーパーマンだ。
笑顔はエネルギーだ。
笑顔は人生の香辛料だ。
笑顔は社会を美しくする。
笑顔は私を美しくする。
笑顔は余裕を持つ楽しさだ。
人間の本能である笑顔を失わず、
大人げなくても笑っちゃおう。
ただただ笑っちゃおう。

"Life could be limitless joy,
if we would only take it for what it is."

-Tolstoy

人生はありのままの姿を受け入れる時、
尽きせぬ喜びとなり得る。

- トルストイ -

□ 私はどこから知恵を得ているか？

□ 初心を忘れず、価値ある人生が生きられる私だけの方法は？

□ 今まで生きてきた自分の人生を一言で表現すると？そして、その理由は？

□ 私は一日どれぐらい笑うか？

世界を知る喜び

国境が崩れ、人種と文化が混ざり合ったこの時代に、

私たちはこの先、

色んなカルチャーショックを経験するだろう。

世代間、人種間、言語間、

そして、文化から来るショック。

こうした刺激が私たちの人生を

もう一段階高いところへ

率いてくれる。

だから、喜んで受け入れよう。

活力となるようにしよう。

良心文化　VS　恥文化

私たちはそれぞれ特定の価値観を持って生きていく。
その価値観は自らが作り出したものもあるけれど、
自分が属した世界の中で作られるため、
社会が作り上げた価値観の影響を受けたものだともいえる。

特に大学、職場、結婚のように他人と関わる重大な決断を下すとき、
自分の持つ価値観に従って決めているように見えても
実は社会が提示する価値観に従っている場合が多い。
社会に強い所属感を感じる人ほどなおさらだ。

この価値観を反映する二つの相反する文化がまさに
罪の意識とも呼ばれる良心文化 (guilt culture) と
恥文化 (shame culture) だ。

キリスト文化の国のほとんどは「良心文化」を持っており、
儒教や仏教が根付いている国は「恥文化」を持つ。
宗教だけ見ても良心文化は欧米で、
恥文化は東洋で広がっていることが分かる。

良心文化が根付いている社会は、間違った行動をするとき、
心に引っかかることはないか、先に悩む。
だからよく自分の「良心」に問う。

恥文化の社会は、ある行動をする前、
人が自分をどう思っていて、どう見るか悩む。
だから、自らの良心よりは他人の目を意識する。
そう。つまり、世間体を気にすることを意味する。

就職先を探すときも自分の好きな仕事よりは
名のある職場に入りたがる。
こういう雰囲気は不思議なことに挑戦が好きそうな
若者世代でも見られる。
自分の好きな人と結婚するよりは社会的に認められる人を探す。

良心文化が根付いた代表的な国はアメリカだ。

私たちはハリウッドの映画に熱狂し、アメリカの文化に憧れたりする。

ところが、このハリウッドの映画には常に英雄がいる。

登場する英雄は、世界が悪の勢力により脅かされ

国が危機に陥っていて、

隣人が苦しんでいるところを見ると、

じっとしていられない。

彼らを助けないと

良心が放っておかないからだ。

そして、スーパーヒーローは地球をどう救うかで

常に苦悩し、悩み、一人でいることを好む。

そして、こういうスーパーヒーローを見ながら、

人々はとても喜ぶ。

そう。実は、アメリカの良心文化に熱狂しているのだ。

人々はよくハリウッド映画を見てアメリカに行きたがり、

アメリカ留学を誇らしく思い、その文化を真似したがる。

しかし、アメリカ文化が持つ良い特徴についていくには

まず、恥文化を根こそぎ取り除くべきだ。

イギリスは、代表的なキリスト国家でありながらも、古い歴史と伝統がある。

また、王家の格式と体面を守る任務のある王室が存在する。

だから、イギリスは恥文化と良心文化が共存する社会構造を成している。

同じ言語を使用し、歴史的にもたくさんの部分を共有しているが、
イギリスとアメリカの文化は異なる部分が多い。
イギリス人も自分の国が
アメリカと似たような感じで見られるのは嫌なため、
全く違う国だと主張する傾向がある。

イギリス人は配慮や礼儀を非常に大切にする。
共に生きていく共同体という意識も強く、
共有する文化やメンツ、そして格式が
彼らの生活の中で非常に重要だ。

大学を卒業し、勤めていた職場で
派遣に出ているアメリカのコンサルタントたちとの通訳を担当した時、
あるアメリカ人のコンサルタントと仲良くしながら
色んな話をしたことがある。
ちょうどその時期、イギリスのエリザベス女王の嫁だった
ダイアナ妃が夫と離婚し、
恋人と共にパパラッチから逃げようとして
交通事故で亡くなった事件が起きた。

平民として生きて、童話の中のお姫様となり、
庶民たちのために良いことに励み、たくさん愛されたダイアナ。

しかし、夫であるチャールズ皇太子から愛されなかった彼女は
自分の幸せを求め、皇太子妃の座を捨て、王家を出た。

しかし、36歳という若さで悲劇的に亡くなってしまった。
個人的にダイアナ妃の人生にとても興味があったせいか、
そのニュースを見てとても悲しかった。
しかし、共に働いていたアメリカ人のコンサルタントは同情しなかった。
「王家ってなんで必要なの？国民のために何やるの？
農民たちをこき使って、税金減らすだけ」

一部の人はこのコンサルタントの言葉に共感するかもしれない。
しかし、私はそうは思わない。
イギリスの王家は良心文化と恥文化が上手く調和を成すように
バランスを取らせる非常に重要な役割を果たしている。

もちろん、どの文化もはっきり分かれているわけではない。
どの国も良心文化と恥文化が混ざり合っていて、毎日衝突する。

恥文化の中で良心文化が根付くには
潤滑油のような仲裁者が必要だ。
そう。そのバランスを取ることこそがリーダーの仕事なのだ。
グローバル時代、全世界が混ざることで日本にも
個人主義、団体主義、良心文化、そして恥文化が共存している。
この色んな文化はどんな形であれ、社会に根付くだろう。
そして、共同体を成し、幸せな人生を営むために
この地にどういった方法で良い文化を定着させるか、
それは私たちの課題である。

質疑応答を楽しめ！

海外の学校授業の雰囲気は独特だった。
小学校から中・高校まで海外で私が経験した授業は
開始から終わりまで教師の一言一言全てに子どもたちは手を上げて
回答と質問を続けた。教師より学生たちの方がたくさん話すというか。
授業で交わされる会話はそれだけで勉強になって
復習が要らなかった。
子どもたちは教師の質問に全員が答えようとする熱意を見せ、
間違った答えを言ってもみんな全く気にしなかった。

最初、私はこういう授業のやり方に慣れず、「みんなどうしたの？」と、
「私は全部知ってる。だから質疑応答する必要ない！」と思って
クールに座って授業を受けていた。

テスト期間になって第2外国語として受けていたドイツ語の授業で
中間テスト、期末テスト全て100点を取った。
しかし、最終成績表はCだった。
何かの間違いだと思い、教師に聞くと
彼は私が授業中に質問をせず、
人の質問を聞くだけだったからCをつけたのだと答えた。

そして、その後の言葉に驚き、家に帰って何度も振り返って考えてみた。
自分のためだけにたくさん質問するのではなかったのだ。
「授業はあなた一人が受けるものではない。
君は同じクラスのみんなの質問だけ聞いて、
何の質問もしなかったから他の子たちの役に立たなかった。
君も授業中はたくさん質問してこの授業に貢献しないといけない。
一緒に勉強するからこそ、君も授業を受けられるんだ。」

これが教師の答えだった。
私は最初信じられなかった。
勉強は私のためにするものじゃなかったのか。
その話を聞く前まで考えていた勉強の定義とは全く異なるものだった。

その後、私は授業中、みんなの顔を観察してみた。
みんな自由に思う存分質問し、答えて授業を楽しんでいた。

そうして、自分だけでなく、他のみんなにももっと勉強になるよう貢献し、全ての授業の主人公となって楽しく勉強していた。

その後、私も頑張り始めた。
間違えても答え、気になる点は聞くと、授業がずっと楽しく感じられた。
授業を楽しむには主人公にならないといけない。
その方法は質問をし、答えながらお互いに貢献することだ。

人の目を気にしない世界へ

英語には人の目を気にするという表現がない。
似たような表現はあっても、正確に表現する言葉はない。
人に気を使う場面がなかなかないからだ。

仕事でよくイギリスに出張に行くが、
お店やカフェに入るとき、
日本との違いが目立つ。

イギリスではお店やカフェに入ってきた人に対してさほど関心を持たない。
しかし、日本では大勢の人がふっと振り返って見たりする。
自分も知らないうちに人の目を気にする習慣があるからだ。
英語でディスカッションするときも同じだ。
みんなの目を気にして手があげられないのだ。

英語にそういった表現がないと知ったら、
「他の国の人たちも人の目を気にしながら生きてると思ってたら
私だけだったんだ」と誰だって驚くだろう。

人の目を気にするのは日本と韓国にだけある情緒だという。
英語の授業のために相談しにきた人たちがよく聞く質問の一つ。
「私、上手くついていけますかね？
ついていけなかった場合、どうなるんですか？」

これも人の目を気にするせいだろう。
授業に上手くついてこれるか判断するのは教える側の私の役割で、
私が悩む問題なのに、周囲に迷惑をかけるのが怖くて
投げかける質問だ。

そのせいか、自分の役割、そして
相手の役割が何なのかに対する意識がぼんやりしている。
子どもがやることを親が、親がやることを教師が、
夫がやることを妻が、上司がやることを社員が、
国会議員がやることを市民団体がなどなど。
自分のやるべき事を明確に知らず、人の目を気にしながら働く。

多様性が共存するグローバル時代に
こういった情緒は似合わない。
もっと主観的で自由な人生を生きるために
人の目を気にする文化を当たり前と思うのではなく、
私たちにどんな悪い影響を及ぼすか、一度考えてみないといけない。
人の目を気にする社会では誰が得をするのだろうか。
気にする人？気にさせる人？
誰の得にもならない。

英語には人の目を気にするという表現はないが、反対語はある。
リソースフル (resourceful) がそれだ。
「問題解決のために良い方法を上手く探す」という意味を持っている。

より堂々として活力の溢れる人生のために、主観的な私の人生のために
人の目を気にするよりはリソースフルな人生を選ぼう！

Different men seek after happiness
in different ways
and by different means

-Aristotle

様々な人が
様々な方法と手段で
幸せを求める。

- アリストテレス -

□ 私たちが生きているグローバル時代に経験したカルチャーショック
は？

人生を知っていく喜び

「受け入れる」という言葉は良い出来事よりは
悪い状況を受け入れるときもっと使われる。
私たちが拒絶されたときや別れるとき、
そして求めていたものを諦めるとき、
その状況をどう受け入れるかを知ることが
本当の人生の知恵ではないだろうか。

惜しまず全部使っちゃおう

大学4年の秋学期の時、
私は文化人類学者になるという夢を捨てて
就職のために約30社にエントリーシートを出した。
文化人類学者への道を諦めた後は
本当に何がやりたいのか分からず、迷っていたのだ。

迷っていたというより、実は4年間ずっとどう生きるべきか、
私が持つどんな技術でこの社会に貢献することができるのか、
深く悩んだことがなかったのだ。
学校に通いながら確実に覚えたのは競争だけで、
ただ大学を卒業して大手企業に入ることが
次の競争で勝つことだと思った。

就職のせいで大学のあちこちに貼られたポスターを見ていると、
アフリカに行くボランティア募集のポスターが目に入った。
一緒にいた同じ科の男性同期がそんな私の姿を見て
遠くから嘲笑って声をかけてきた。

「何じっと見てるんだよ！それ、ボランティアだぜ？
しかも、アフリカボランティア！海外旅行じゃないんだ。
行って何するのか知ってて見てるのか？
ひーちゃんとは合わないからやめとけ！」

４年間ずっと派手な服を着て
苦労したことのない雰囲気を出していた私の姿と
アフリカボランティア募集のポスターを見ていた私の姿が
どうにも合わなかったのだろう。
「私って、そういうイメージなんだ」とその時知った。

同期たちが私をどう見ているのか知って驚いた。
彼らにとって私はただのお嬢様だったのだ。
本当は何度も嵐の中を駆け抜けてきたというのに・・・。
だから大学では静かに暮らしたかっただけだったのに。

あの時は何をそんなに焦っていたのか、少し後悔している。
全てを後回しにしてでもアフリカボランティアに行くべきだったのに。

一度きりの人生、より自由に時間が使える時に人類のために
何かをやっていれば、もう少し堂々としていられたのに・・・。

当時、私は足を運び、大手企業のポスターの方に向かった。
大手企業だけ選び、あちこちに履歴書を出し始めた。
今の大学生たちが大手企業だけを目指しているように、
大手企業がどんな場所かも知らず、ただやるべきことをやった。
しかし、それが正解ではなかったということに後から気づいた。

結果、書類審査で全て落ちた。
周囲のほとんどが11月、12月頃に就職が決まっていたから
相当焦っていたのだ。
今になって振り返ってみると、あの時、就職できてなかったのは
ほとんどが女性だった。
成績の良い女友達よりも成績がずっと悪い男性同期が
先に就職できた。男性がより好まれた時代だったのだ。

結局、卒業の日まで履歴書を出した30社全てから連絡をもらえず、
私は就職シーズンを逃し、「就職浪人」になってしまった。
2月、卒業式の直前にある大手企業の就職説明会で
英語が上手だと有利だという話を聞き、
入社志願書を提出した。

書類審査で合格したのは初めてだった。
3月の筆記試験の後、4月に面接を受け、
「また落ちるだろうな」と気にしないでいたら
内定をもらって気絶しそうに嬉しかった。

その後、5月に入社すると、入社の同期がかなり多かった。
部長は「就職も浪人するの？」と言って、浪人だとからかった。
最近は就職浪人するのは大したことでないように思われているが、
その時はそうでもなかった。

会社に入ってみると、なぜ私が就職できなかったのか分かった。
観点が間違えていたのだ。
私が行きたいところではなく、私を必要とするところに志願すべき
だった。
何も考えずに履歴書を出したから不合格になるのは当たり前だった。
もちろん、制度的・社会的な意識にも問題があった。

英語の授業をやっていると、就職で苦労しているという話をよく聞く。
甥っ子が長い間就職できず、うつ病になっているとか、
就職問題でストレスを受けすぎて口が歪んだとか、
履歴書を50ヵ所出したのに全く連絡がなかったとか、
就職を諦めて公務員試験を準備するとかいう話を聞くと
心苦しくなる。

ところが、中小企業に英語講義で通っていると
会社側は人手不足だからいい人を紹介してくれという。
しかし、むしろ人々は就職ができなくて困っている状況だ。

就職できず苦しんでいる人たち、
人がいなさすぎて悩む中小企業。
人が溢れる大手企業。
何かが間違っている。
時代的に問題があるのか、
世代的に問題があるのか、
それとも思考的に問題があるのか。

就活の期間はそんなに長くはなかったが、
その３～４ヵ月の時間が私にとっては数億万年のように感じられた。
だから１～２年間就職できていない人々の気持ちなんて想像もつかない。

一時期、かなり長い間、仕事をしているうちに仕事に夢中になり
週末も夜遅くになっても仕事の考えから逃れられなくなって、病気に
なってしまった。
それで、しばらく仕事をやめ、もっと勉強することにした。
その後、大学院に通いながら才能を捨てたくなかった私は、英語ボラ
ンティアを始めた。
そして、そこで私は偶然、自分のアイデンティティを見つけた。
本当に偶然に。

私は未だ見つけていない才能が私の中にあると思う。
それが何なのか正確には分からないけれど、見つけられたら
誰かのために使おうと思う。
一度きりの人生、持っているものを惜しまず使っているうちに
誰かには役に立つだろう。そして、拭いて磨いているうちに
いつかは価値を分かってくれる人が現れるだろう。

就職で悩み苦しんだ時間は
私を謙遜にさせ、よりマシな人間にさせてくれた。
そして、何よりも才能をどう使うべきか教えてくれた。

最後の挨拶は「私のこと忘れないで」

私は中学3年になるまで
7ヵ国で学校に通う経験をした。
そのせいで幼い頃から色んな先生や友だちに
出会っては別れる経験を何度も繰り返した。
国際学校では私だけでなく
父の仕事関係で新しく転校して来る子もいて、
国に戻るために転校して行く子も多かった。

英語を教えていると、転校して来る子どもたちにもよく出会う。
そして、新しい友だちと付き合えず、学校に馴染めないのを恐れて
子どもだけでなく親も心配しているのを見てきた。
新しい環境に馴染み、新しい人に出会うということは
そのぐらい辛くて大変なことだ。

私もまた新しい子どもを教えていると
まるで未知の世界に入るように緊張と期待が押し寄せてくる。
だから新しい環境に慣れるのがどれだけ大変なことか、毎日感じている。
環境変化に敏感で苦しむ幼い転校生たちに接しながら
幼い頃の私を振り返ってみた。

一度の転校でも悩み苦しむことが多いというのに
私は9年間7ヵ所の学校を転々としたのだから
どれだけ大変だったのだろうか。
しかし、一度も辛いと思わず、
慰められたこともなかった。
大人になってようやく自分自身に驚いた。
そして、今更ではあるが
「頑張ったんだな」と自らを慰め、褒める。

私たちは家族をなくしたり、友だちと離れ離れになる経験、
愛する人と別れる経験など、様々な別れを経験する。

英語教師をやっていると、仕事的に名言などをよく読む。
ある本にこんな文があった。
「人が別れにより悲しみを経験するのは良いことだ。

別れても悲しくないというのは
その人と一緒に過ごした時間があまり嬉しくなかったことを意味する。
だから悲しみは過ぎていった時間が本当に幸せだったことを証明する。」
別れを悲しむだけでなく、認めて
それまでの時間が幸せだったことを立証する喜びとして受け入れろとい
うことだ。

もちろん、そう簡単なことではない。別れるときは悲しいし、
してあげたことよりも、してあげられなかったことが頭に浮かんで
申し訳ない気持ちと後悔が押し寄せてくるものだ。

香港で中学校に通っていた時、ソニアというノルウェー人の友だちが
韓国に４年住んでから転校してきた。
ソニアは初日、私が韓国に住んだ経験があると知って
まるで旧友にでも会ったかのように抱きついて喜んだ。

ソニアが転校してきてすぐに
今度は私が韓国に行くことになった。
ソニアは私より最近の韓国事情に詳しいからと
韓国の実情を一つ一つ話してくれた。
そして別れる日、「またね！私のこと忘れないでね」と言い、
ぎゅっと抱きしめてくれた。

引っ越す日が近づくと、同じクラスで私のことが
好きだったアイリッシュ (Irish) 人の友だちが手紙を書いてくれた。

「ひーちゃんが急に韓国に行くって聞いてびっくりした。
もっと早く言えばよかったな。ひーちゃんのことが
好きだったのに・・・。韓国に行っても連絡してね。
後、私のこと忘れないでね！」

幼い頃から繰り返してきた出会いと別れの中で
私は別れの挨拶を「私のこと忘れないでね」と覚えた。
そして、いつもそう言って最後の挨拶をした。

今も英語教師として色んな子どもに出会っては別れる。
しかし、子どもたちと別れる瞬間に交わす挨拶は
「私のこと忘れないでね」ではない。
むしろ「私のこと忘れて」という風に感じられるときが多い。
それは、授業の最後の日には来ないか
終わってすぐ解放されたかのように消えてしまう場合が多いからだ。

長い間、一緒に勉強したというのに
一言もなしに消えてしまう子どもたちに慣れることができない。
「最近の子どもはそういう文化なのかな？」

「私、何か悪いことしたっけ？」
これまで知っていた別れの挨拶までではなくても
これはさすがに違う気がしてかなり悩んだ。
そして、最近別れの文化がなくなっていることに気がついた。

数人で一緒にご飯を食べていて、席を外すときも
会議中に席を外すときも
海外では軽く「エクスキューズ・ミー (Excuse me)」と言って出る。
最近はそういう文化がない。いきなり立って出て行く人を見て、
別れの文化に慣れていた私はどれだけ驚いたことか。
「私に怒った？嫌いな人でもいるのか？」と色々考えてしまった。
しかし、しばらく後にその人がなんともない顔で戻って来た。
こういう状況が何回も繰り返されるうちに私もこの文化に慣れていった。
だから私も最近は席を外すとき、何も言わず立って出る。

それでも、長期間一緒に過ごした時間を忘れたかのように
消えてしまうのにはまだ慣れない。私は大手企業に勤めて辞めた時も
100人を超えるチーム員一人一人に挨拶をしたっていうのに。
良くも悪くも一緒に過ごした時間を振り返ってみると思い出ではないか。
適当に別れてもいいということは、普段一緒に過ごす時間も
軽く思っているということではないだろうか。

毎年夏と冬、全世界から子どもが集まるイギリスのキャンプに参加す
ると３週間会って別れてもお互い抱き合って挨拶するというのに
６ヵ月から１年間一緒に勉強した教師と
別れの挨拶がない文化とは、少し残念すぎる。

人生は結局出会いと別れの連続ではないだろうか。
どう出会い、どう別れるかは私たちの生活をより豊かにし
意味あるものにするためのとても重要な部分だ。

別れを受け入れ、共に過ごした時間を大切にする気持ち。
人との出会いに感謝する気持ち。
そして、最後に「私のこと忘れないで」という一言の挨拶は、
一生お互いのことを忘れられないようにする。
たとえ体は離れていても
誰かが私のことを一生覚えてくれているなら、
本当に幸せだと思う。

幸せのルール＝ザ・ゴールデンルール

時代や世代が変わり、全てが素早く変わっていくこの時代の人々は
どう生きるべきか、不安で混乱していると思う。

生活は豊かになったけれど、十数年前より
資本主義や物質主義が蔓延する世の中で
日々生きていくこの時代の主人公たちに
役に立つ人生の知恵の規則を紹介しよう。

私が海外の学校に通っていた時は
「競争」よりは「貢献」という単語が重要だった。
教師は勉強すべき理由として、社会に効果的に貢献できるように
自分が好きで上手にできることが何なのか探さないといけないと
いつも教えてくれた。

だからいつも「私」よりは社会や友だちを考え、
どう役立つか、先に悩むようにした。
しかし、帰国してからは常に「競争」と「私の将来のため」、
「いい大学に入るため」という言葉を聞くようになった。
だから、とても混乱した。

大人になって人生を振り返ってみると、
「貢献」が「競争」精神に勝つということが分かった。
貢献は、とてもポジティブな心掛けだ。
しかも、能力ある者だけができる。
貢献は人生に意味を与える。
意味はなぜ私が生きなければならないかを教え、
満足による幸福を呼び寄せてくる。

競争で苦しむ若者に
私一人で「貢献」の心がけを教えるのは無理だ。
だから、人々にこの規則をいつも紹介している。

物質に囚われず、
この厳しい世の中に振り回されず、犠牲者にならないように
私たちみんなが勝者になれる「ザ・ゴールデンルール」

The Golden Rule：

Treat others as you want to be treated.

ザ・ゴールデンルール：

他人にされたいように他人に接しなさい

ゴールデンルールは資本主義の中でも
互いを尊重し、各自の立場が守られるように
人生に対する態度と行動を提示する。
私たちみんなが勝者になれるように。

　　　　　第3幕　未来の幸せを描く

放っておけ

法人を立ち上げるためにインドで3年間働いたことがあった。

文化も宗教も気候も

何もかも違うインドに着いた時、本当に苦労した。

整理整頓された様子は少しもない。

街には車と人、そして動物と建物が混ざり合い、

過去、現在、未来が共存していた。

最先端施設が整っているITの町と

野生動物が棲息する区域が同時にインド全域に広がっていた。

ある地域には「野生の虎が出るから気をつけろ」という看板が、

また、ある地域には「野生のゾウが出るから気をつけろ」という看板

があった。

道路には最新のベンツや BMW などの高級車が転がっていると同時に
ラクダに乗る人のための「ラクダパーキングエリア」もあった。
野良猫のように
動物園にいそうなサルも町にぶらついていた。

会社を立て、社員を採用しながら
人々の色んな背景にびっくりした。
同じ言語を使い、どの宗教も国教としていない文化から来た私は、
色んな階級と宗教、地域のインド人を雇い、彼らの背景を理解し、
合わせるのは簡単ではなかった。

各自、違う宗教の休日を守らなければならず、
ベジタリアンや宗教により豚肉や牛肉を食べない人など
食の好みも合わせないといけなかった。
広い国だったせいで、祝日に実家に帰るとなると
片道2日の社員も、4日の社員もいた。
だから、祝日の休みも合わせないといけなかった。

処理すべき仕事が山ほどで、忙しいというのに
みんなの事情に全部合わせながら
どう仕事を進めろというのか。

私はいつも状況に合わせて生きてきたのに・・・。

こうしたもやもやとした気持ちでアメリカにいるインド人の友だちに電話をした。

彼女はこういった。

「ひーちゃん、レット・イット・ビー（放っておきな）！

君がその人たちが信じて生きてきた生活方式は変えられない。

インドはレット・イット・ビーで今まで耐えてきた国なんだよ！

だから色んな宗教も、野生動物も、

色んな民族も一緒に平和に生きられるんだよ。

あと、私たちがなぜ生きるのか、何のために生きるのか考えてみて。

私たちは私たちの人生を生きるのよ。」

「頑張ればダメなことなんてない」という思考の強い私としては

納得できない価値観だった。

放っておけ！無責任に聞こえるかもしれないけれど、

彼らの人生には私たちが知らない人生の秘密と知恵が詰まっている。

広い面積と世界2位の人口数を誇り、

数百種を超える民族と言語が存在する国、インド。

全てをありのまま受け入れるために放っておくことにした国。

インドは中国の後を追い、世界的な経済大国として成長している。

そして、私は思った。
いくら人口が少なく、言語が一個しかない国でも
人はそれぞれ独特で様々だ。
だから、私たちにも放っておけ精神が必要なのかもしれない。

お墓と仲良くなってみようか?

イギリスの死に対する態度は
私たちと大きく違う。
代表的なのが教会のお墓と街のベンチだ。

イギリスには古くてきれいな教会の建物が町ごとにある。
その教会の特徴といえば、建物が古くきれいというのもあるけれど、
その庭にお墓があることもあげられる。
愛する人の名前が刻まれた
形やサイズがばらばらな墓石と
お墓が共にある教会は美しくも見える。
暗く怖くダークな雰囲気をかもし出すお墓が
温かい感じに、見る人を謙遜させる。
特にイギリスでそう感じるのは、

お墓が人々の住む町の真ん中にあるからだ。

イギリスの街では先に亡くなった愛する人々への
思いを込めた文が刻まれたベンチをたまに見かける。
俳優のジュリア・ロバーツ (Julia Roberts) がハリウッドの有名な女優役を、
ヒュー・グラント (Hugh Grant) がイギリスのある旅行書店の店主役を演
じた恋愛映画「ノッティングヒルの恋人 (Nothing Hill)」を思い出してみ
よう。

ジュリアとヒューがイギリスのある公園を歩いていて見つけたベンチ
にはこう書かれていた。
「この庭を愛したジュンに。いつも彼女のそばに座っていたジョセフ」

この文を読みながらジュリアはこう告白する。
「本当に一生を一緒にする人もいるんだね」
このセリフを聞いて、ジュリアのような経験をしている人たちは
普段どういう考えを持って生きるんだろうと気になっていた。

出張でイギリスに行った時、日程が週末と重なり
街を散策できる時間的余裕ができた。
その時、グロスター (Gloucester) 地域のある街を散歩しながら
可愛い教会を見つけた。そこにもお墓があった。

教会の庭にあるお墓の間を子どもたちは自転車で通ったり
犬を連れて散歩をしていた。

すぐ隣には古い歴史を誇るきれいなホテルがあった。
そのホテルの庭でコーヒーでも一杯飲もうと思って入った時、
ちょうど結婚式を終えて休んでいるカップルが見えた。

お墓のある教会のすぐ隣のホテル、そこでの結婚式、
教会の庭にあるお墓の間を
街の人々が幸せに散歩する姿。
まるで生れた時から結婚、家族と人生、そして死に至るまでの流れを
一目で見ているような気がした。

田舎だからだと思われるかもしれないが、
ロンドン市内でもこういう風景は普通だ。
教会のお墓をそのままにして、その周辺に町とホテルができたというのは
「死」をとても怖く恐れる視線で見るのではなく、
人生の一部分として死を自然に受け入れる価値観であり、態度である。

そして、これは人生が何なのかを子どもに教える
教育の場でもある。
子どもたちは自然に自転車に乗って、楽しく犬と散歩しながら
通り過ぎる人々に「グット・モーニング」と挨拶する。
何度も教会の庭を通り、自然と
生と死、そして自然に触れる。

私たち皆が求める人生の一番の祝福は
健康に末永く生きることだ。
しかし、死は誰もが経ていく過程だからこそ、
暗くて否定的なものではなく、人生の一部分であることを認め、
受け入れなければならない。
そうすることによって、
今生きていることに対し、感謝と喜びを感じながら、
人生をより大切にできるようになるのではないだろうか。

Treat others as you want to be treated.

-The Golden Rule

他人にされたいように
他人に接しなさい

- ザ・ゴールデンルール

□ 持ってはいるけど、使っていない私の才能は？

□ 人と別れるときに使う私だけの独特な別れの挨拶は？

□ 生きている中で出会った人たちに適応する私だけの規則があるとしたら？

□ 今の人生で感謝しているものは？

□ 重要だと思う特別な知恵があるとしたら何か？

エピローグ、世界を私の味方にするためには

喜びと幸せを育てることができるのは感謝の気持ちだ。
感謝の気持ちを持ち始めると、世界は私の味方になる。

感謝の絶対条件は人と私を比べないことだ。

今は特に感謝することがなかったとしても、
ただ生きていることに感謝し、
ご飯を食べられる力があることに感謝し、
横になって寝られることに感謝してみよう。

感謝しているうちに自分を見つけ、自分の人生を振り返る。
そして、世界はその感謝に報いるために私の味方となってくれる。

この本を書きながら、私も私自身について
もう一度振り返り、知っていく時間となって嬉しかった。

この本が読者の皆様にも人生を振り返ってみる機会を与え、
自分自身をよく知り、喜びを感じさせると信じて
この本を書けるよう手助けしてくれた皆様に感謝する。

ありのままの私が好き
-誰がなんといっても自分を愛する方法、癒しのエッセイ-

初版発行 2021年12月25日

著　　者　キム・ソンヒ

訳　　者　林 貞我（ハヤシ デイカ）

発 行 人　中嶋 啓太

発 行 所　博英社（**HAKUEISHA**）

　　　　　〒 370-0006 群馬県 高崎市 問屋町 4-5-9 SKYMAX-WEST
　　　　　TEL 027-381-8453/FAX 027-381-8457
　　　　　E· MAIL hakueisha@hakueishabook.com

ISBN　　978-4-910132-18-1

ⓒ キム・ソンヒ, 2021, Printed in Korea by Hakuei Publishing Company.

定　価　　1,980 円（本体 1,800 円）